Amazing Wordsearch Collection

Bath · New York · Singapore · Hong Kong · Cologne · Delhi · Melbourne

This edition published by Parragon in 2010

Parragon
Queen Street House
4 Queen Street
Bath BA1 1HE, UK

Copyright © Parragon Books Ltd 2007
© Clarity Media Ltd 2007

ISBN 978-1-4075-1601-1

Printed in China

Starters

```
N P A N C A K E S A L A D N P
T I U R F S I S P I N A C H P
T D M Y A D E H T F O P U O S
J Y D O O F R E G N I F A K T
L C M D O H B R U N T I Q O U
V I K R P Q D Y Z J P D S M F
O P G S E C I L S N O L E M F
S S Z H P M G G E D E I R F E
B O P O T A T O S K I N P W D
S V H S A L S A I R G N A S C
J U I C E T U P L S G U F D R
U J T H A M A N D M E L O N A
A Z Q M Q N O P C G V I G N B
S G G E D N A M A H U R R A H
S M O O R H S U M S A F C F V
```

FINGER FOOD	PANCAKES
FRIED EGG	POTATO SKIN
FRIES	SALAD
FRUIT	SALSA
HAM AND EGG	SANGRIA
HAM AND MELON	SOUP OF THE DAY
JUICE	SPICY DIP
LIGHT LUNCH	SPINACH
MELON SLICES	STUFFED CRAB
MUSHROOMS	TAPAS
NACHOS	VEGGIE OPTION

Busy Bee

```
K R M O V I N G S R S Q L E P
D T V J O K T N M B P M A C U
P R A G P R T I R U E R B K O
R L C D E S F T D S E A O R Z
D C T I R E T A T Y D R R O G
D I I P A R I L S U I G I W I
E M V A T O M U E T N N N E U
G A E R I H E M W K G I G S A
A N F U N C T I O N I N G U A
G Y I S G A A T R E H N L O P
N D L H L S B S K C I U Q H E
E A L I S O L H I H J R A Q C
R I V N S A E B N U V R S A A
V E D G P R D J G J Y T M Q H
L S R O Y P T I P T W S I O T
```

ACTIVE	MOVING
ALIVE	OPERATING
BUSY	QUICK
CHORES	RAPID
DASHING	RUNNING
DYNAMIC	RUSHING
ENGAGED	SPEEDING
FAST	STIMULATING
FUNCTIONING	TIDYING UP
HOUSE WORK	TIMETABLE
LABORING	WORKING

Just The Job

```
A T F M H A N T R A A S O P S
T S Y L A N A R E T U P M O C
Q I R D I A I U D N T H A L N
N G E C R M C C N A H R G I A
C O O K D E I K E T O R I T V
I L R O R R T D T L R I C I I
R O E P E O S R R U S H I C G
E E E G S H I I A S S M A I A
L G N X S S T V B N E E N A T
L D I A E G A E U O R C K N O
I E G L R N T R W C T H J H R
R Y N A P O S R O L I A S O I
D Y E P O L I C E M A N O I R
W N N A M E R I F R W I K S L
J A N I T O R E R U T C E L A
```

AUTHOR	LECTURER
BARTENDER	LONGSHOREMAN
COMPUTER ANALYST	MAGICIAN
CONSULTANT	MECHANIC
COOK	NAVIGATOR
DRILLER	POLICEMAN
ENGINEER	POLITICIAN
FIREMAN	SAILOR
GEOLOGIST	STATISTICIAN
HAIRDRESSER	TRUCK DRIVER
JANITOR	WAITRESS

American Ports

```
A X N E W J E R S E Y R L P J
G S R Y C M A R C U S H O O K
T G R Z D N E W B E D F O R D
W B T R N H E A S T P O R T N
N R L E A N T D N F O O J J O
B I A V L O O U I E S T M E M
H D R I T T R D O V W V Y F H
O G E R R G S O N M O Y A F C
P E T L O N C A B O S R O E I
E P S L P I P A C S L T P R R
W O E A S M P A L W L W R S K
E R H F R L J R O R E U E O U
L T C U A I B O S T O N A N P
L N J N E W H A V E N K W P S
M S O U S T A M F O R D H T T
```

BOSTON	NEW LONDON
BRIDGEPORT	NEW YORK
CHESTER	PAULSBORO
EASTPORT	PORT JEFFERSON
FALL RIVER	PORTLAND
HOPEWELL	PORTSMOUTH
MARCUS HOOK	PROVIDENCE
NEW BEDFORD	RICHMOND
NEW CASTLE	SEARSPORT
NEW HAVEN	STAMFORD
NEW JERSEY	WILMINGTON

Boxing Clever

```
G C U O V U X G F K S A T E B
K S R E G C L P N O I T U A C
U X T T N J M O B U U A U A E
R O K K I H C N I L C L F A X
B O R I X K P R O M O T E R J
Q S O N O I T A N I B M O C S
R U W U B K O B L E E D E R J
V J T M N J A B S A I O T T S
I S O H W G N I R E V O C L N
W P O C O U N T E R P U N C H
R O F I D U P P E R C U T I Y
K K A E R B D U S C G I Y R O
W A R N I N G N I V A E W Z Q
F P E I D N O C E S F E I H C
T T P B O U T H N L T P B U A
```

BLEEDER	FEINT
BOUT	FOOTWORK
BOXING	FOUL
BREAK	HOOK
CAUTION	JABS
CHIEF SECOND	KNOCK OUT
CLINCH	PROMOTER
COMBINATION	RABBIT PUNCH
COUNTERPUNCH	UPPERCUT
COVERING	WARNING
DOWN	WEAVING

Keep Fit

```
E K I B E S I C R E X E P N T
G C R O S S T R A I N E R N S
N N G T R A M P O L I N E V O
I O I A T L R W D W Y E S L U
M I C D W C L O A O E K S W E
M T Y X L T O I G L T R U R H
I I C L J I A A M O K L P I Y
W R L S D F U J C D Q I S M N
S T I C T P K B G H A S N Y G
T U N I R E R Z Y N I E P G N
A N G B T E P J D D I N R I I
M A E O A K E P U K O N G T X
E T P R K X I E E L O B N L O
X T W E I G H T S R Y S I U B
I V M A S S A G E P S U E M R
```

AEROBICS	NUTRITION
BODY BUILDING	PRESS UPS
BOXING	ROWER
COACHING	RUNNING
CROSS TRAINER	STEPPERS
CYCLING	SWIMMING
EXERCISE BIKE	TRAMPOLINE
KEEP FIT CLASS	TREADMILL
MASSAGE	WALKING
MATS	WEIGHTS
MULTI GYM	YOGA

'B' Words

```
B G U A A O V A R B R T I P B
E L T E E B V U O I A A R A O
A W B A D G E R B N T G B L T
S R O H T N O G K D T O E T H
T H U T G B L P I I O P A L B
E S S A R A E U P N X G K O S
L I H E E C A D F G N G I B E
B S T R R H A I R I M E N Y M
B O R I E E W U R O T N R A I
A B O F H L T E A E O U A F T
B T A K P O D R G V T M A E D
S K P C S R S W G B C C T E E
A N O A O Z L A E F K C A L B
M F H B I N S O B S S T V B T
O S Z D B A C K B O N E O C E
```

BABBLE	BEDROOM
BABOON	BEDTIME
BACHELOR	BEETLE
BACKBONE	BEGGAR
BACKFIRE	BEGINNER
BACON	BINDING
BACTERIA	BIOSPHERE
BADGER	BLACK
BAGELS	BOLT
BEAST	BOOKS
BEAUTIFUL	BORDERING

'A' Words

```
X A A A B A T E H C A M A T R
X G R L B I T J O A C I T H T
G S Q N W A A P A N A L Y Z E
E E U N O N C B U D T R U A J
A T R O C I O U S G A S M G M
P A U I U A T D S C Y M X E H
A C A T O G A A N M O Y A G D
T I S I W Y I L I A P N Q N E
H D O L I S I B X V B B D I T
Y B O O N L F A M T E A M K C
U A A B R U P T B A V R R S E
Z Q B A S S E R T S Y U B A F
U J I E Z I N O G A E Q T B F
E X X D R U S B A I N O A A
M V B F Z U E S R S V W T F Y
```

ABACUS	ADAMANT
ABANDON	AFFECTED
ABATE	AGONIZE
ABBREVIATION	ALBATROSS
ABDICATE	AMBIGUOUS
ABOLITION	ANALYZE
ABRUPT	APATHY
ABSCOND	ARMED
ABSENT	ASKING
ABSURD	ASSERT
ACHE	ATROCIOUS

In The Back Yard

```
R I S R E W O L F L T R H A O
T Y D U C Y A A O I T T K M I
H G E P N B A C P O T T I N G
K T E Q R B H U O W I S J O W
C A S E U U A L A D E O H H E
L A S D W T N T Y J I P I E E
A I T R Q U E I H I U M E J D
Y O O A Y R N V N I L O U Q S
X S R S I G T A L G N C C H B
C F A N U L H T G P S G E O L
U V G P R W R I S T K A B Q U
U D E S U O H N E E R G R L B
O G R O W I N G N I T N A L P
K P S E R A K I N G W K B I U
G C L A V A O G S E A C C G E
```

BARBEQUE	RAKING
BULBS	SEEDS
CLAY	SHEARING
COMPOST	SHED
CULTIVATING	SOIL
FLOWERS	STORAGE
GREENHOUSE	SUNBATHING
GROWING	TIDYING UP
PLANTING	TROWEL
POTTING	WATERING
PRUNING	WEEDS

Going Camping

```
E P E S A K C A P K C A B L O
E A A M N G N I G N I S L A O
O A R I Y O H C N O P R S O Z
S F F T N E T E M A R F N C R
Q E R I F P M A C E M B E R S
D G E A S L E E P I N G B A G
G U A R Z K B I V O U A C H Y
R Y B I L L Y C A N S A U C O
O L D W A L K I N G B O O T S
M I G N I R E E T N E I R O T
M N K I N D L I N G O E I S P
E E E U Q R A M S P E X H P A
T S S A P M O C N D R P U T R
H W L A T R C G B A N N O C K
T L U S O F T T Z A S J P R A
```

BACK PACK	KINDLING
BANNOCK	KNIFE
BILLY CAN	MARQUEE
BIVOUAC	ORIENTEERING
CAMP FIRE	PARKA
CHARCOAL	PONCHO
COMPASS	ROPE
EMBERS	SINGING
FRAME TENT	SLEEPING BAG
GROMMET	SPACE BLANKET
GUY LINES	WALKING BOOTS

At The Theme Park

```
R A H A A M U S E M E N T U H
R D I S N E Y H D E E P S F J
N V N M I R R O R W A L L E S
E E R U C A R O U S E L E R T
R N T R O Y O T R R A A E R N
D T S Z X R R I D E S R H I E
L U G S E O O N T A T M W S M
I R R O D O D G E M S S L W H
H E I S E M A G Y P S O T H S
C T N E M N I A T R E T N E E
R E T H G U A L L I R H T E R
L O O P T H E L O O P E N L F
K E S I R P R E T N E T M T E
U L R O L L E R C O A S T E R
R U Z J Q F I Y R A C S V A I
```

ADVENTURE	LOOP THE LOOP
AMUSEMENT	MERRY-GO-ROUND
CAROUSEL	MIRROR WALL
CHILDREN	REFRESHMENTS
DISNEY	RIDES
DODGEMS	ROLLER COASTER
ENTERPRISE	SCARY
ENTERTAINMENT	SHOOTING GALLERY
FERRIS WHEEL	SPEED
GAMES	THRILL
LAUGHTER	WHEELS

13

Beautiful Barcelona

```
M H C S A N T S E B A S T I A
P L A S M E N I N A S O V I R
D L T M O N T J U I C R L R T
T E A R I V O R J D P I R C N
U U L P U T X E T R M M B A O
D G O T H I C Q U A R T E R U
G C N T R B C A F U M M S M V
L R I I U I X A A G R H O E E
A A A D A D D L S N Z S S L A
N P D U S A L B M A R S A L U
O L R A R B G E C V M G R K Q
G A R G H O O S S A C I P N A
A T A G E R B O L L Z L L R K
I S M E D I T E R R A N E A N
D Y L L V G A T S K A O T S O
```

ART NOUVEAU	LLOBREGAT
BESOS	MEDITERRANEAN
CARMEL	MIRO
CASA MILA	MONTJUIC
CATALONIA	PARC GUELL
DIAGONAL	PICASSO
GAUDI	PUTXET
GOTHIC QUARTER	ROVIRA
LA VANGUARDIA	SAGRADA FAMILIA
LAS MENINAS	SANT SEBASTIA
LAS RAMBLAS	TIBIDABO

Into Africa

```
N D C S B M A G W A S S B O I
V N L A I R E G I N B A U L A
M M A A M A G A Y B I L A L P
I O Q M S E L N C C I Y L R O
I R Z H I W R G L U D I Q O V
V O H A X B W O E E G Y P T G
T C T I M A I L O R U A Y V H
N C L N V B I A Q N I M N H A
A O A A H M I S D S N A A D N
P V G Z E I O Q I N E B R Y A
A D E N G Z S Z U N A D U S Y
A A N A W S T O B E U W L V N
R H E T H I O P I A I T R T E
N C S U W O W D T P K S P D K
Z Q G X N S A E H A R Z S X L
```

ALGERIA	MOROCCO
ANGOLA	MOZAMBIQUE
BOTSWANA	NAMIBIA
CAMEROON	NIGERIA
CHAD	RWANDA
EGYPT	SENEGAL
ETHIOPIA	SUDAN
GHANA	TANZANIA
GUINEA	TUNISIA
KENYA	UGANDA
LIBYA	ZIMBABWE

In The Pond

```
T S A R L R R S S Q Q H M L S
Z B T F D S I N I G N W A P S
A V Y N R R X G R S D A O T L
A I H N A A O N I A T N U O F
B C Y L F L E S M A D A N A L
C W B Y D A P A E W U Y R Y O
N I O F P R O S E L B B E P W
N E I R R V N E G Q O C E X E
S S W E A A D X R O A P S B R
H M S T C E S N I A R P D F S
P D L A S S K S R F U F X A R
M V E G E T A T I O N C R L T
Y L I L R E T A W P C L C A F
N K S M D E E W K C U D A A I
T F R A B D R A G O N F L Y Y
```

CARP	NEWTS
DAMSELFLY	NYMPHS
DRAGONFLY	PEBBLES
DUCK WEED	PLANTS
FLOWERS	POND SKATER
FOUNTAIN	POND WEED
FROGS	SPAWN
GOLD FISH	TADPOLES
INSECTS	TOADS
IRIS	VEGETATION
LARVAE	WATER LILY

Walk In Central Park

```
S U T E S A P P P O I Z W R S
O I U V N E E D L E L B M A R
O C A S T L E S U O H T A O B
Z R A L W O D A E M P E E H S
S G N I R P S L A R E N I M D
N O P E A S T G R E E N P U O
E L Y E S M U R V L G I R T O
R H A R L E M M E E R S E E W
D O P B F H X W M L E C S N H
L L A M E H T C B I A O E I T
I D N O P E L T R U T U R P R
H T A P L A D I R B L R V S O
C E D A R H I L L H A T O O N
T U A E F I L D L I W S I C R
Y T I Y Q I C E R I N K R R K
```

BOATHOUSE	NORTH WOODS
BRIDAL PATH	PINETUM
CASTLE	RAMBLE
CEDAR HILL	RESERVOIR
CHILDREN'S ZOO	RUMSEY
EAST GREEN	SHEEP MEADOW
GREAT LAWN	SUMMIT ROCK
HARLEM MEER	TENNIS COURTS
ICE RINK	THE MALL
MINERAL SPRINGS	TURTLE POND
NEEDLE	WILDLIFE

California Airports

```
S K N A B R U B Z I S U U P R
Y O R O T L E F O A K L A N D
U C L A R A B R A B A T N A S
N S O A S P R E C N A R R O T
N I S O B A O S W A H P S E P
A C A T A L I N A I S L A N D
V N N N K O R O T M A O N Y A
E A G E E A A Y S O N N T A B
W R E M R L T O O N D G A W S
X F L A S T N S N T I B M N L
V N E R F O O E V E E E O H R
N A S C I X L M I R G A N O A
T S E A E J H I L E O C I J C
Z Q D S L R U T L Y E H C O K
P A L M D A L E E F N U A N X
```

BAKERSFIELD

BURBANK

CARLSBAD

CATALINA ISLAND

EL TORO

FRESNO YOSEMITE

JOHN WAYNE

LONG BEACH

LOS ANGELES

MONTEREY

OAKLAND

ONTARIO

PALMDALE

PALO ALTO

SACRAMENTO

SAN DIEGO

SAN FRANCISCO

SANTA BARBARA

SANTA MONICA

TORRANCE

VAN NUYS

WATSONVILLE

Substance And Matter

```
S I R R P S I I S R T N H A A
G A I H W U A K N R L O G T U
N G A L E N E R G Y A T T U R
T S X E M S L A F G I W P B C
E C A P S I U U E D R A B M T
P R O T O N C Q R M X I Q F L
V Y T O W T E O M Y T K R U T
R M U N S E L C I T R A P G H
V C N X F R O J O T G P G R P
A T O M P A M I N E R T I A H
P H Y S I C S S A M K W G V O
U G R E L T N A I R A V N I T
Q I A C D I M E N S I O N T O
M E B R F O G U N E U T R O N
J W E P R N O R T C E L E N U
```

ATOM	MASS
BARYON	MOLECULE
DIMENSION	NEUTRON
ELECTRON	PARTICLES
ENERGY	PHASE
FERMION	PHOTON
GRAVITON	PHYSICS
INERTIA	PROTON
INTERACTION	QUARK
INVARIANT	SPACE
LEPTON	WEIGHT

At The 'End' Of The Day

```
W O K G E T E C A L E N D A R
H M Q P B L Q P E D N F F P W
D N E T E R P D L I A N R R U
E N D U R E D N E V A L P F R
D E F E N D V V P D I I W O O
U N D D N E M M O C N A S A K
A M E N D M E N T I T E L G S
P D S U O D N E R R O H T E G
P R C O M P E N D I U M S N N
R R E N D I T I O N R L A D I
E D N E I R F E B U E R X A D
H A D R U A R E D N E T T A N
E Q I A R U O X D N E C S A E
N E N D A N G E R E D N E G B
D I G X J D R G V G I I P V B
```

AGENDA	DESCENDING
AMENDMENT	ENDANGERED
APPENDED	ENDURE
APPREHEND	GENDER
ASCEND	HORRENDOUS
BEFRIEND	INTENDED
BENDING	LAVENDER
CALENDAR	PRETEND
COMMEND	RENDITION
COMPENDIUM	SLENDER
DEFEND	TENDER

Thanksgiving

```
R L C J C C S R T Y Y R L L R
A T O E A S D S V E N V M F P
S E P G N I V I G S K N A H T
L G Y A O K Z L W F P L Y R N
Q L E Y E R F E N U L A F L G
X F K O P E R S M I R G L I P
J M R V I C E P N C O L O N Y
A O U P I T K D L R O W W E N
U D T E T I I Q E Y U I E E F
L E S L N A C I R E M A R P E
V E E S N G T R Z Z S O G E A
R R V S L R L G N I F F U T S
S F R Y L I M A F U P T M T T
S M A I Z E P O N I U L A C H
R U H S N U C A P D X Y X A P
```

AMERICA	MAIZE
CANOE	MAYFLOWER
COLONY	NEW WORLD
ENGLAND	PILGRIMS
FALL	PLYMOUTH
FAMILY	PUMPKIN
FEAST	SETTLERS
FREEDOM	STUFFING
GRAVY	THANKSGIVING
HARVEST	TURKEY
INDIANS	VOYAGE

State Capitals

```
U E R P T E P S A L E M P D S
A G A K E P O T R S R S Z B S
E U A T C I L G Z U I J I Z S
N O G T H O N O L U L U J O U
U R A U B F R A N K F O R T B
J N T A S Y R E M O G T N O M
B O N I E T R U L Q P F V T U
O T A A L A A E R T L H T N L
S A L T L A K E C I T Y F E O
T B T B I S P H O E N I X M C
O J A U V Q S A I D P I L A E
N N X J H E A A I O Q Z Q R N
Y L N O S K C A J V L A T C H
A E X S A N T A F E W T V A E
N L O C N I L R E R I Q U S I
```

ALBANY	JUNEAU
ATLANTA	LINCOLN
AUGUSTA	LITTLE ROCK
BATON ROUGE	MONTGOMERY
BOISE	NASHVILLE
BOSTON	PHOENIX
COLUMBUS	SACRAMENTO
DOVER	SALEM
FRANKFORT	SALT LAKE CITY
HONOLULU	SANTA FE
JACKSON	TOPEKA

Indian Cuisine

```
O K O R M A I U U K L T B U X
F M O I T S Q H T R E I A L I
O O L A G A A S C T R B J S V
L I A S I Y Q O H Y I B A T T
X C D V L E D J A Z R M L B B
S Z N A A N A N P P O R S O L
M S I R S T I A P S O W U T T
T R V M S U S G A S D U J C D
L A V L A H H O T Z N M O P U
D I D Z E C I R I T A M S A B
R Z S I U J N J K S T I K K A
P T S K U L C H A N U B P T K
N T A W S V E L L J A H Z U E
A Q I V M E A T F O K Y A Q D
I S R Z M S G J R Z J W R E S
```

BAJA	KOFTA
BASMATI RICE	KORMA
BIRYANI	KULCHA
BUNA	MASALA
CHAPPATI	NAAN
CHUTNEY	ROGAN JOSH
CURRY	SAAG ALOO
DUPIAZA	SAMOSA
HALVA	TANDOORI
KEBAB	TIKKA
KHEEM	VINDALOO

'I' Words

```
T T I H R E C N E U L F N I Q
S N M N P L A I R T S U D N I
E A A Q F R E E O Q Y E J T E
R T G S U O I N C R E A S E D
E S E Z I M R I N D E E D R U
T N A T R O P M I G L W H M L
N I E R R D Y A A F U I S E C
I S T U N S W G E T A N H D N
S L A U D I V I D N I V J I I
S W I N T E R N A T I O N A L
U S D T B D N A L S I L N T E
E X E L I N S T E A D V A E Y
D R M H I N S I D E S E I A P
G A M B C A U O O O P D P Z P
S S I Q L N I N C L U D I N G
```

IMAGE	INFORMATION
IMAGINATION	INSIDE
IMMEDIATE	INSTANT
IMPORTANT	INSTEAD
INCLUDE	INTEREST
INCLUDING	INTERMEDIATE
INCREASED	INTERNATIONAL
INDEED	INVOLVED
INDIVIDUAL	ISLAND
INDUSTRIAL	ISSUED
INFLUENCE	ITSELF

Famous Battles

```
D D A W B A S D N A L K L A F
S I L H A S T I N G S H R I H
P E A R L H A R B O R A T R R
Q P R S D T M R H I I L R B O
O P U P T T F T D R A I I A T
A E U L Y R O L S E V D E L H
Z N I A T I R B L R N O S A W
K R I K N U D F E I S N T C S
B R A N A N B U R G H H E W Z
L A L L I H R A T I M I C S E
T R U O C N I G A H P L C A J
S N A O I A D M R N I L R E B
A H S S A I G R O E G W E N O
T E U O A I E O A D M W C T F
A M A R N E O G O E T K Y S U
```

AGINCOURT   HALIDON HILL

ARDENNES   HASTINGS

ARNHEM   LOOS

BERLIN   MARNE

BRANANBURGH   NEW GEORGIA

BRITAIN   PEARL HARBOR

CALABRIA   SCIMITAR HILL

CRECY   STAMFORD BRIDGE

DIEPPE   SUEZ

DUNKIRK   TRIESTE

FALKLANDS   YPRES

The English Language

```
Y Z E T M Y R I E S V G C T M
X E T Y M O L O G Y E L X F W
N M X R E G U L A R A P R D U
C S J P Y C O V Z U R L E R Q
L W E I R E N Y S O T F A T Y
R S V V A E A E N T I E D U U
K U E G I O S O T N C V I I J
H R R E P T U S I N L I N N S
S U B J U N C T I V E S G T S
I A C T I V E E E O R S I E F
L S A Y I N G S J S N A S W A
G E G A U G N A L D A P O S U
N H K I I G R A M M A R X G A
E T C E R I D N I O D D H S Q
Y S G X M P R R Z O Z A S P Q
```

ACTIVE	PASSIVE
ADJECTIVE	PHRASE
ARTICLE	PRONOUN
CLAUSE	READING
DEFINITE	REGULAR
ENGLISH	SAYING
ETYMOLOGY	SENTENCE
EXPRESSION	SUBJUNCTIVE
GRAMMAR	THESAURUS
INDIRECT	VERB
LANGUAGE	WORD

Vacation Locations

```
S Y D N E Y U G A W N T M T E
F E Y O I V P I N S I R A P N
N B A Y S Q R K N N I L D T R
O V C T A Q A N E W Y O R K U
B E G E T C G I I S V M I S O
S R O M E L U S V H A L D P B
I O U S R S E L E G N A S O L
L T T S X A T E P R O X T L E
Q L K O S G B H E U L F O S M
V O D B O E V E M B E L C O K
J N Z X R V L P P N C G K D S
W D B L T S L S U I R Q H C Q
O O I T Q A T B T D A A O I S
A N Y N I L B U D E B F L I C
L T K I I M A D R E T S M A V
```

AMSTERDAM   MADRID

BARCELONA   MELBOURNE

BERLIN   NEW YORK

BRUSSELS   OSLO

DUBLIN   PARIS

EDINBURGH   PRAGUE

HELSINKI   ROME

LAS VEGAS   SEATTLE

LISBON   STOCKHOLM

LONDON   SYDNEY

LOS ANGELES   VIENNA

New York Districts

```
N A T T A H N A M M S F U S N
T Z R W C K Y C H E L S E A T
V T O H O S R E A L Y E T M U
X N N Y N Y E N M R L D H N N
L I W N E A M T F A A I E Y Q
H O O A Y B O R A H T S B L D
P P T B I K G A C Y I T R K O
D N A L S I T L E V E S O O R
O E N A L N N P B F L A N O E
S E I X A G O A I D T E X R I
N R H P N S M R R Y T R F B N
E G C A D H A K T C I E M D W
E M U R R A Y H I L L W P P O
U M P R G Q X M I D T O W N O
Q S P S T A T E N I S L A N D
```

ALBANY	LOWER EAST SIDE
BROOKLYN	MANHATTAN
CENTRAL PARK	MIDTOWN
CHELSEA	MONTGOMERY
CHINA TOWN	MURRAY HILL
CONEY ISLAND	QUEENS
GREENPOINT	ROOSEVELT ISLAND
HARLEM	SOHO
INWOOD	STATEN ISLAND
KINGS	THE BRONX
LITTLE ITALY	TRIBECA

Moons Of The Solar System

```
D D B R A U G P A U F F O Z P
T I D E I M O S H Q H S E H U
T O P I P P A N D O R A O F E
S N T B H H P D T T E B L S D
O E O E L C R M I E O B A F E
E T L T V E O I Y S T U E N M
L I U U I U M R T O S H C A Y
A I J E T R E A D E I E Y A N
K O R I R O T N S E L S R S A
S T T L E P H D L A L A V C G
S Y I E P A E A D O A I R S B
M K T I E T U U M A C X A A K
A L A R I S S A I L A M I H T
E S N A S I W D E O R J U V E
D R G G U F C V V O A D D N R
```

ARIEL	KALE
CALLISTO	LARISSA
CORDELIA	MIRANDA
CRESSIDA	OPHELIA
DEIMOS	PANDORA
DIONE	PHOBOS
ELARA	PHOEBE
ENCELADUS	PROMETHEUS
EUROPA	TETHYS
GANYMEDE	TITAN
HIMALIA	TRITON

Go East

```
Y O J I D R A G O N B O A T A
E P E R I P M E N A M O T T O
L E I J U F T N U O M U L S P
L R L A T N E I R O T A C B J
O S T E G Y P T I A N H A E U
W I L L O W P A T T E R N L U
R A D O G A P Q I H N A N L I
I N H P I L A C E O I V U Y A
V G A N G K O R W A T N S D H
E U M E A C A S M R N A G A G
R L N S E Z P A A A O T N N N
D F Z A A S I A W H C L I C A
S R N D S T S C P P B U S E H
D A E R B A T I P W U S I R S
T L M U M E H T N A S Y R H C
```

ANGKOR WAT

ASIA

ATLANTIC OCEAN

BELLY DANCER

CALIPH

CHRYSANTHEMUM

DRAGON BOAT

EGYPTIAN

MOUNT FUJI

ORIENTAL

OTTOMAN EMPIRE

PAGODA

PERSIAN GULF

PHARAOH

PITA BREAD

RISING SUN

SCHEHERAZADE

SHANGHAI

SUB-CONTINENT

SULTAN

WILLOW PATTERN

YELLOW RIVER

Romeo And Juliet

```
M Q S I R L C T S M F A U R R
S N Y B Y S N H O J R A I R F
C A P U L E T B Z I I R B E T
V F M Y R O G E R G A O A N P
O A D P O I S N T K R H L I E
U O O P S M R V L S L B T L T
Z P R Y G O P O A U A Y H A E
J R A D M N N L B R W N A S R
B O N E P T R I Y O R O S O S
U A O G T A P O T H E C A R Y
A B R A M G R A A C N L R P R
L M E R C U T I O E C A N C F
Q V V T K E Q G S H E B C D U
Q W E S R U N E H T E I L U J
I P U L C M L W U Q J J P O R
```

ABRAM	MONTAGUE
APOTHECARY	PARIS
BALCONY	PETER
BALTHASAR	ROMEO
BENVOLIO	ROSALINE
CAPULET	SAMPSON
FRIAR JOHN	THE CHORUS
FRIAR LAWRENCE	THE NURSE
GREGORY	TRAGEDY
JULIET	TYBALT
MERCUTIO	VERONA

Water Features

```
A R T U B T R P S J R E K A L
J I T A T L E D D I R S O J V
O S S F A W L L K U J A O J I
H I R G E E R E S T U A R Y R
N F O U N T A I N Z C E B E A
D O E M I L L P O N D C V B R
N S E L M A R S H V A I R Y N
H M T X D N C N R N R H A A Z
R L T E X D A O A K P E C W M
J U U T C W U L V E R G S R Y
L M P S W A M P N E L T T E Q
O D T T O U I H A R B O R T R
O T B Q T I A M E C R Z E A E
O H L F R U I A C R Z K A W E
X R L G O U C S O P Z Z M L E
```

BASIN	LAKE
BROOK	MARSH
CANAL	MILLPOND
CHANNEL	OCEAN
COVE	PUDDLE
CREEK	RESERVOIR
DELTA	RIVER
ESTUARY	STREAM
FOUNTAIN	SWAMP
HARBOR	WATERWAY
LAGOON	WETLAND

Presidents' Wives

```
U  R  A  B  G  A  A  T  R  J  S  O  P  A  T
N  E  M  T  S  R  R  X  W  D  N  L  S  R  E
X  O  U  Z  S  W  D  S  S  E  E  W  M  P  G
S  J  T  W  I  I  D  A  W  G  L  N  I  Z  S
M  E  T  X  S  R  O  L  Y  A  T  C  T  R  L
G  L  M  N  A  I  T  S  I  R  H  C  H  T  E
G  B  P  M  E  S  T  I  H  I  G  H  O  M  U
T  T  N  T  Y  R  S  S  L  P  I  E  R  C  E
A  S  H  O  E  S  R  D  U  S  R  K  T  U  F
M  D  R  U  T  K  R  A  E  C  T  P  L  D  T
K  R  P  O  W  E  R  S  W  T  R  Z  Z  A  S
R  A  U  T  S  L  L  E  I  R  O  D  H  A  M
O  B  P  S  A  T  O  P  L  G  K  U  K  S  O
J  O  H  N  S  O  N  H  P  L  O  D  U  R  P
M  R  T  R  E  N  I  D  R  A  G  S  T  N  E
```

APPLETON	ROBARDS
CHILDRESS	RODHAM
CHRISTIAN	RUDOLPH
CUSTIS	SAXTON
DENT	SKELTON
GARDINER	SMITH
HOES	SYMMES
JOHNSON	TAYLOR
KORTRIGHT	TODD
PIERCE	WARREN
POWERS	WELCH

Types Of Grass

```
T S A P M A P U N O U V F T V
S S A R G E U L B T C N I I R
W A D R I U B S R U P E N E P
I R U W E L T S G F N T E T Z
T G M A D B A A I T O D F T R
C E R R E L L R K E S F E V B
H Y E M P A L G L D A I S E A
R R B S I M F T A H E S C S T
K T B E T R E N T A S I U R E
J A P A N E S E S I L V E R P
M O O S E H C B H R O S L A R
A E Y O C T U R G Z O Y S I A
U U O N L A E T U T C S M C C
P L B U F F A L O B O R O G R
M B A H I A M A R G E U L B Y
```

BAHIA	JAPANESE SILVER
BENTGRASS	PAMPAS
BERMUDA	REEDS
BLUE GRAMA	ROUGH STALK
BLUE OAT	RYEGRASS
BLUEGRASS	SWITCH
BUFFALO	TALL FESCUE
CARPET	THERMAL BLUE
CENTIPEDE	TUFTED HAIR
COOL-SEASON	WARM-SEASON
FINE FESCUE	ZOYSIA

A Cut Above

```
Q S U T Q L D M O R A R T M V
T P S L E Y I E V H C T S U B
X E E A E L P A V C L Y T M C
R S G O R E G O T A B P R A A
N B Y T I B S N R K W A H O M
D E R E Y A L I I C C A R W S
S E Q L O R I T D R T U Q R P
Z H A L F E A T H E R E D P P
T I S U S V T U B W B O E O A
Y V U M A O G C Q C W A G F D
P E R M N B I R F U A W N Z T
W T L S Y M P E A T I F I G Y
M G U P E O R D S B G F R L S
Z R Z F P C O N E Y U J F O L
E P T U C Z Z U B R A I D E D
```

AFRO	LAYERED
BANGS	MOHAWK
BEEHIVE	MULLET
BRAIDED	PERM
BUZZ CUT	PIGTAILS
COMB OVER	QUIFF
CREW CUT	RINGLET
CROP	SIDEBANG
DUCKTAIL	TONSURE
FEATHERED	UNDERCUT
FRINGE	WAVED

Cactus

```
N K M S D L A I O U O R P M I
R D O R S A G U A R O B A R A
L A N P I R L S G S E I S D P
M E E L E R R A B A T R U X T
C H Y P K K N M V X A D O T R
O G T S Y P O E I E G N A A R
R I R O I L R X B T S E Z R E
E B E P K T K I L F I S T A G
I C E F A E L C U O V T E N N
E A R I Z O N A I Y S A C O I
R C L A U O G N I R E W O L F
B T T S G R N C Y O P O L E N
D U J G I A N T C L U B U M F
S S X R T I V Y O G G L M H S
O S U C C U L E N T S L N X S
```

AGAVE	GIANT CLUB
ARIZONA	GLORY OF TEXAS
AZTEC	KEPO
BARREL	LEAF
BEAVERTAIL	MELON
BIG HEAD	MEXICAN
BIRD NEST	MONEY TREE
CACTUS	ORGAN PIPE
COLUMN	PRICKLY PEAR
FINGER	SAGUARO
FLOWERING	SUCCULENT

Halloween

```
G D C B Q S T W D U L O K R O
A Y R M E H Y A M O O R B G A
E M P C F W E R E W O L F Y N
U O H A H L B Z P S T R H L P
O N A N E E W O L L A H O W O
U S U D Q H N P C N E S R I A
T T N Y R A C S K D R H R T N
B E T L A E S E M U T S O C O
D R E S S I N G U P R P R H T
R S D T L S L R E B O T C O E
A P E V T S A C P A K W G A L
C N R E T N A L O K C A J R E
U G I T P U C O F F I N T L K
L N B L A R U T A N R E P U S
A Z J B L A C K C A T A B T U
```

BLACK CAT

BROOM

CANDY

COBWEB

COFFIN

COSTUMES

DRACULA

DRESSING UP

FRANKENSTEIN

HALLOWEEN

HAUNTED

HORROR

JACK-O-LANTERN

MAYHEM

MONSTERS

OCTOBER

SCARY

SKELETON

SUPERNATURAL

TRICK-OR-TREAT

WEREWOLF

WITCH

School Subjects

```
A S I S D A T E U R C Z E P T
I M H U K O U A K A E T L O H
A U T N E M N R E V O G P L T
R S A C Y R T E M O E G G I T
B I M Q B I O L O G Y M Q T S
E C O N O M I C S H U T Y I U
G T S A A Y R T S I M E H C L
L I T E R A T U R E R S P S U
A S E I D U T S L A I C O S C
M Y G N I T U P M O C I S P L
A R M L N R C M G M R E O O A
R G E O G R A P H Y W N L R C
D O R B R P N Q M J X C I T A
H E A L T H S I L G N E H S K
I A F O S P H Y S I C S P S K
```

ALGEBRA	HEALTH
BIOLOGY	KEYBOARDING
CALCULUS	LITERATURE
CHEMISTRY	MATH
COMPUTING	MUSIC
DRAMA	PHILOSOPHY
ECONOMICS	PHYSICS
ENGLISH	POLITICS
GEOGRAPHY	SCIENCES
GEOMETRY	SOCIAL STUDIES
GOVERNMENT	SPORTS

At The Zoo

```
E E Z N A P M I H C A R B E Z
L A N T E L O P E R B M Q P E
I R A S A A G I R S C E L I S
D E M E L E P H A N T S S A U
O H Y E N A N N O I L A E S O
C T L B E L O B A T C L Y S S
O N G E G B S W Q F R L L Z T
R A L D K M I V U T A I Z S I
C P O L A R B E A R E R Z F G
F R H I N O C E R O S O I I E
F L O W G A Z T I L C G R J R
B C L L A M A S U O J A G P R
Y O W T R V C Q M L F S M Z R
R H I R O B P M V F A G M E S
C U C I O U D S E S R O H Q L
```

ANTELOPE	HYENA
AQUARIUM	KANGAROO
BISON	LLAMAS
CAMEL	PANTHER
CHIMPANZEE	POLAR BEAR
CROCODILE	RHINOCEROS
ELEPHANTS	SEA LION
GIRAFFE	TIGER
GORILLAS	WILDEBEEST
GRIZZLY	WOLF
HORSES	ZEBRA

Gone Fishing!

```
G T T T P M K N A D V X T F M
H E L F R P B T C R Q S T S A
T E L G N A D T R I M E V F E
I S O N Y M P H M O V W T N R
A K R I T N A T A O L F V S T
B S W H I S T L E R F L I E S
D O E S I Q L F R O L B Q X P
A P W I L S A L T W A T E R U
E X P F L F R E S H W A T E R
D O D Y I F F I N S C C V U E
B R T L D S Y K W Q K O V G P
D R O F P D H R O O W N G S P
W U A O A F E I D O O L A U I
W M O B O B B I N G H P O B K
L L I R K A N B D G E L R X W
```

BANKS	FLY FISHING
BARB	FRESHWATER
BOBBIN	HOOK
BOWFISHING	KIPPER
DANGLE	KRILL
DEAD BAIT	NYMPH
DOWNSTREAM	SALTWATER
DRY FLIES	SPOOL
EDDY	TROLL
FINS	UPSTREAM
FLOATANT	WHISTLER FLIES

Forms Of Government

```
F M O N A R C H Y H C R A N A
S W P O E B I N A R C H Y Q D
Y C A R C O R I H C M Y R U H
C C Y C Y I C K E E Y H O H O
R J A C I H D R R C T C X E C
Y K K R A F C I A T A R B P R
P Q U P C R T R O C E A Y T A
T P L U T O C R A C Y T C A C
A H T B C O L O N G R U A R Y
R Q S R E R J E R V I A R C H
C X A H M O A L G D A L C H C
H C T L P G R Q T N N S O Y R
Y C A R C O T S I R A A M F A
D U A R C H Y H C A R T E T X
Y H C R A I R T S S Z N D A E
```

ADHOCRACY	EXARCHY
ANARCHY	HEPTARCHY
ANDROCRACY	IDIOCRACY
ANGELOCRACY	MERITOCRACY
ARISTOCRACY	MONARCHY
AUTARCHY	NEOCRACY
BINARCHY	OLIGARCHY
CHIROCRACY	PLUTOCRACY
CRYPTARCHY	TETRACHY
DEMOCRACY	THEOCRACY
DUARCHY	TRIARCHY

Greek And Roman Gods

```
A T P K S A S A F K H R W C C
H C U G U A T L A S R R G I R
L A W A N L I M T Q B S R A M
N P D R E P F T E H L I U M R
D O E E V U W A S N S E I E Y
I L Y S S U R R Z E L T T R Z
P L U T O G L A T P H I J C W
U O T C O L W C N T P D S U N
C R R R I T G E A U A O J R W
B R A O P F X G J N S R N Y A
O F Z N O S E M R E H H P E O
W B B U N O Y R T I H P M A P
I O N S A A S U H C C A B I Q
J R E V S B E A E R O L T Q T
F R E H S R E E R O X W B I F
```

AMPHITRYON	HESTIA
APHRODITE	JUPITER
APOLLO	LUCIFER
ARES	MARS
ATLAS	MERCURY
BACCHUS	NEPTUNE
CRONUS	PLUTO
CUPID	URANUS
FATES	VENUS
HADES	VULCAN
HERMES	ZEUS

'E' Words

```
B E T A U L A V E P I G R A M
T Y N E M A N A T E A R L Y T
Q E E X Q K K N E E R I L Y F
U L L T O U E E T E R N A L J
X I L Y T O A G A L U A K L T
A N E E Y U K T L T E U F A F
I E C Y R E D I O R B M E U L
L R X S T A R C P R O S A T I
E E E L U C I D A T I O N N C
N E B N O I T A R O B A L E E
L N X R E R R A T U M T L V T
I I P V P U F R X S C H Z E G
S G A C I R T N E C C E U U O
T N A H P E L E D I F Y I N G
U E P S I L O N L A D R W S W
```

EARLY
ECCENTRIC
EDIFYING
EERILY
ELABORATION
ELEPHANT
ELUCIDATION
EMANATE
EMBROIDERY
ENAMEL
ENGINEER

ENLIST
EPIGRAM
EPSILON
EQUATORIAL
ERRATUM
ETERNAL
EVALUATE
EVENTUALLY
EXCELLENT
EXTRAPOLATE
EYELINER

Getting Hot

```
Y V L H B L A C I P O R T R Z
A T M R P A I N C R E A S E U
D E S S E R D R E V O N E H L
I S S L O G F I R E W U R T A
L S K K I R F C U R O A O A F
O P V Y T I V I T C A S F B W
H P E R S P I R A T I O N N J
B L E E S S E L R I A P I U V
T U R N I N G R E D F U A S A
Q U E T E G M B P H T M R A W
E L B A T R O F M O C O G T A
G I U N L I G M E Q U A T O R
J O R S V O R Y T R O P S G I
R B N A G S T E A M U Q E T F
R E X J R B B N D Z T M B M S
```

ACTIVITY	PERSPIRATION
AIRLESS	RAINFOREST
BOIL	SAUNA
BURN	SPORT
COMFORTABLE	STEAM
ENERGY	SUNBATHE
EQUATOR	TEMPERATURE
HOLIDAY	TIRED
INCREASE	TROPICAL
LOG FIRE	TURNING RED
OVERDRESSED	WARMTH

Vice Presidents

```
O Y Q P P U A W U R I V Y P R
T E R O G C C D J K O F R A Z
C L B R L B K K L O C S R S W
R K K U E N I L M A H E E C O
B R I G R Q E P U W E N G A S
V A N B U R E N U D N S S N T
N B G A F T P O P T E V N O I
O T Y C I W D S W J Y I I B N
X L R A L H E N D R I C K S Q
E R E L L E F E K C O R P P E
L M L H M E T V Z N X I M F T
I R Y O O L I E X A F L O C V
P Y T U R E A T T B I R T O T
C M W N E R P S M A D A T U H
E W L L Y T Y P P M K E A D J
```

ADAMS	HAMLIN
AGNEW	HENDRICKS
BARKLEY	JOHNSON
BURR	KING
CALHOUN	QUAYLE
CHENEY	ROCKEFELLER
COLFAX	STEVENSON
FILLMORE	TOMPKINS
FORD	TYLER
GERRY	VAN BUREN
GORE	WHEELER

Theme Parks And Attractions

```
J D L R O W O R T S A X K D T
O S T E E L P I E R D R D L R
Y A B R F E P C O T V K N R U
L W E E K I W A C H E E A O N
A V L H O W E S F S N R L W I
N B M P D O O I S E T T O Y V
D O O S N N Z N E A U R G E E
L O N O A D I O S B R A E N R
R M T T L E T P G R E T L S S
O E P A Y R R I A E C S L I A
W R A R A L D E L E I U L D L
A S R T L A A R F Z T D J O K
E E K S P N G P X E Y U N R Y
S S O M O D G N I K C I G A M
H L F N K M G M S T U D I O S
```

ADVENTURE CITY	PLAYLAND
ASTROWORLD	SAN DIEGO ZOO
BELMONT PARK	SEA WORLD
BOOMERS	SEABREEZE
CASINO PIER	SIX FLAGS
DISNEY WORLD	STAR TREK
EPCOT	STEEL PIER
JOYLAND	STRATOSPHERE
LEGOLAND	UNIVERSAL
MAGIC KINGDOM	WEEKI WACHEE
MGM STUDIOS	WONDERLAND

World Languages

```
S T R C T Z R G B M A T U H Y
M T P O L I S H S I L G N E E
S Q H S I K R U T U H V O R H
A N S A M A R A T H I D N I H
A A P U G U L E T E S R T R X
H S O D L I M A T O P Y H R E
A X R J A V A N E S E X O N O
S J T N E J A P A N E S E A G
S U U S P M A N D A R I N M F
I D G S E A V N B C I B A R A
Q R U S S I A N L S H K E E O
T U E S E N O T N A C N R G S
U H S I N A P S Z O C Y O T O
E B E N G A L I T H R J K T Q
T C N A S Y Q S Y G B L J C V
```

ARABIC	MANDARIN
BENGALI	MARATHI
CANTONESE	POLISH
ENGLISH	PORTUGUESE
FRENCH	RUSSIAN
GERMAN	SPANISH
HINDI	TAMIL
ITALIAN	TELUGU
JAPANESE	TURKISH
JAVANESE	URDU
KOREAN	VIETNAMESE

All Greek To Me

```
F H S E N E G O I D H Q W P P
P Z E U H C A C R O P O L I S
J U R L R I O K T Z D A X B P
Y A O O L U P Y T O T E E Y Y
D N T L M E C P R O N E R Z T
S A O A Y I N I O O C A U A H
K O T N C G C I P C O P T N A
S N M U E H T H C E R E C T G
E I J A N H A U G S I A E I O
T M I L A N T R B Y N F T N R
A I M E E L A R A Z T E I E A
R S I S A T R Q A Y H R H V S
C O L O N N A D E P G I C T L
O Y G O S E D E M I H C R A A
S I O N I C L A S S I C A L G
```

ACROPOLIS	**ERECHTHEUM**
ARCHIMEDES	**HELLENIC**
ARCHITECTURE	**HIPPOCRATES**
ATHENS	**IONIC**
BYZANTINE	**MINOAN**
CLASSICAL	**MYCENAEAN**
COLONNADE	**PARTHENON**
CORINTH	**PLATO**
DIOGENES	**PYTHAGORAS**
DORIC	**SOCRATES**
EPICURUS	**XENOPHANES**

Northern Constellations

```
L P Z C X S E P L A I J E D A
Y O V B Q O A F C S Y G I J P
N N U C E T U S V M H I R X E
X O C E R S A E D Y E J O U R
V I R G O T U I D U H S W A S
C I N I M E G R E C N A C Y E
T A S E H R A A U S A J L T U
D G E A O I J N Q A M O S A S
A I C L J H T R D T T K U T U
W R S C U L P T O R C Q S A I
A U I A I M U V M E O Q A Q R
G A P A B M U L O C R M G R A
T Y R S C A R I N A I J E T U
K L A F I F P A V L O K P D Q
P S T P E D O I R U N I A H A
```

ANDROMEDA	HYDRA
AQUARIUS	LACERTA
ARIES	LYNX
AURIGA	ORION
CAELUM	PEGASUS
CANCER	PERSEUS
CARINA	PHOENIX
CETUS	PISCES
COLUMBA	SCULPTOR
GEMINI	TAURUS
GRUS	VIRGO

At The Auction

```
P M R S M D Q E L D D A P G S
L B S U S A R P O U T B I D D
D E A R E E N O I T C U A I Y
L U Y R L E W E J C E R S S R
D Q T L G W S R E H G C I E E
A I I Y U A D U U A O E M A V
L T E R U T I N R U F C K L O
P N R H I Y B N N C H I J E C
D A C O M P E T I T O R R D S
W M I N I M U M B I D P A B I
D Z S T E L E P H O N E B I D
S E L A S G N I T N I A P D E
H G I E S E V R E S E R R T S
I O W T U P R S A M E S N B R
M L L B I V J J N I T M Z F R
```

ANTIQUE	JEWELRY
AUCTIONEER	MINIMUM BID
AUCTIONS	OUTBID
BARGAIN	PADDLE
BIDS	PAINTINGS
COMPETITOR	PRICE
DISCOUNT	RESERVE
DISCOVERY	SALES
DUTCH AUCTION	SEALED BID
DUTY	TELEPHONE BID
FURNITURE	TILLER

American History

```
I T J A C K S O N L O C N I L
O D N O T G N I H S A W T R P
H R A E N I A M S S U W L U E
Z P R O H I B I T I O N A L A
C N R O H G I B E L T T I L R
O I Q E K Z F R E E D O M O L
L E R A W D L O C D S O B C H
U N W O T K R O Y O O E Y T A
M O N R O E D O C T R I N E R
B B Y T Q L A G O T A R A S B
U J P X N O S R E F F E J R O
S U S M R A W L I V I C R S R
R O O S E V E L T P A E D T M
S V L I B E R T Y D E N N E K
Y A W D I M N A M R E H S G P
```

CIVIL WAR	MONROE DOCTRINE
COLD WAR	PEARL HARBOR
COLUMBUS	PROHIBITION
FREEDOM	ROBERT E LEE
JACKSON	ROOSEVELT
JEFFERSON	SARATOGA
KENNEDY	SHERMAN
LIBERTY	TREATY OF GHENT
LINCOLN	USS MAINE
LITTLE BIG HORN	WASHINGTON
MIDWAY	YORKTOWN

Space Race

```
R A H O X J Z M A S S S P F R
V A W J T R P R O T O N J A B
O R U E F K P Y V S P M A L O
S I F G K A U N D Y T A S C S
T A Z T A Z P N Y C R A L O B
O N T E U J E A T L A S T N C
K E A U N P N F E O E U D L I
E Q N M R I O F K N N H E D V
S S G P A N T A R G E A L T A
L Q A V M I S T A M R V T O S
T V R T X T D S L A G N A I L
V Y A P V X E L Y R I E C M T
U X Y W O R R A K C A L B P O
I N V A T Z P F S H E E W L G
R A C U O Q E O R R Z F Q O S
```

ANGARA	JAGUAR
ARIANE	LONG MARCH
ATLAS	PROTON
BLACK ARROW	REDSTONE
COSMOS	SATURN
DELTA	SKYLARK
DIAMANT	SOYUZ
DNEPR	TITAN
ENERGIA	TSYCLON
FALCON	VOSTOK
FALSTAFF	ZENIT

Scott Fitzgerald

```
J G A A X R E V I D K C I D T
A I N Z E L D A S A Y R E I L
Z N N F B E N E D I C T I O N
Z E A P C N O I S S E R P E D
A V B X B B E Q Q Y D Y S F H
G R E A T G A T S B Y E P O E
E A L G L U F I T U A E B U H
D K I C E P A L A C E P R R R
M I N N E S O T A H L Z E F I
N N I C K C A R R A W A Y I V
I G L D E B U T A N T E E S I
C N O O C Y T T S A L E H T E
O P R I N C E T O N O J R S R
L E S R E P P A L F T W M S A
E Q D E N M A D I A M O N D N
```

ANNABEL	GINEVRA KING
BEAUTIFUL	GREAT GATSBY
BENEDICTION	ICE PALACE
DAISY BUCHANAN	JAZZ AGE
DAMNED	MINNESOTA
DEBUTANTE	NICK CARRAWAY
DEPRESSION	NICOLE
DIAMOND	PRINCETON
DICK DIVER	RIVIERA
FLAPPERS	THE LAST TYCOON
FOUR FISTS	ZELDA SAYRE

American Slang

```
Y D A E H R I A L T M Q L T T
G T F B E N C H E D P A Q A U
R S L A L I H U I T O A K R O
O E A A N O S W E A T E T G K
O D K C A B R E T R A U Q U C
V I Y E Y D E P Y H T Y A R A
Y S X F A A L Y I E O A Q S R
A P K A H L W K G T P Q U A S
E I J C T B E A S C H M U C K
C L N E U H S P N B C U S H Y
I F L O O B D R A W U V P E E
I R A F R H A N G L O O S E E
P X T F A U E G P G C L X S M
R Y P R F N S R E K N O B Y B
T R T S A W E S O M E K R T Q
```

AIRHEAD	FLIP SIDE
AWESOME	GROOVY
BENCHED	HANG LOOSE
BLOWN AWAY	HYPED
BONKERS	MEGABUCKS
CHEESY	NO SWEAT
COUCH POTATO	QUARTERBACK
CUSHY	RACK OUT
FACE-OFF	RUG RAT
FAR OUT	SCHMUCK
FLAKY	TAKE A HIKE

On The Road

```
V I U U A G I M U A O E V V A
V I S T X V U R A C E R E N T
R E T O O C S O S N R T Z N M
F R H V B P A O I S U M A O B
A Y L I O S A U T O M A T I C
R P E G C T T S R A C P L T S
D A A A S L O R R I E S E A S
S C T B D R E M U T U W K G O
I S H E T A R M A C P Y I I L
G C E L T T O R H T T F B V X
N P R D D G E L B R K I R A J
S O S D E S T I N A T I O N E
D E L A Y S C I F F A R T N T
T P A S S E N G E R A H O L R
B E H H S C G A K Q W Z M B U
```

AUTOMATIC	PASSENGER
CARS	RACER
DELAYS	ROUTE
DESTINATION	SADDLEBAG
LEATHERS	SCOOTER
LORRIES	SIGNS
MANUAL	SPEED
MAPS	TARMAC
MOTORBIKE	THROTTLE
NAVIGATION	TRAFFIC
OBSTRUCTION	VEHICLE

Tasty Sauces

```
H B H O L L A N D A I S E S T
Y P O L A Z E R Y K G R A V Y
E I N O T A M O T A B L T O Z
L E E S E E H C B D S Y B T E
A D Y M A C U R E A U W G T Z
P R E D W I N E X L H I T E T
L A A B Y S A P X I E X R A W
Z T B Y R Z M P T H H S E U E
O S E A C O K E T C H U P R X
N U C T R I W P L N R L U O R
A M H N O I P N M E N E S L T
B E A R N A I S E S M T A A P
R Y M E U Q E B R A B O N M E
O D E R F L A Z J D T H N J O
S I L I H C L R T T D E L A K
```

ALFREDO	HONEY
BARBEQUE	KETCHUP
BEARNAISE	LEMON
BECHAMEL	MORNAY
BROWN	MUSTARD
CHEESE	PEPPERCORN
CHILI	RED WINE
CREAM	SALSA
ENCHILADA	SPICY
GRAVY	TOMATO
HOLLANDAISE	WHITE WINE

Innovations

```
E T U Z R E T U P M O C U A S
T S O R E L P A T S K C O L C
G A T E L E V I S I O N O N K
T E L E S C O P E S E U O W E
E N X V X T F A R C E C A P S
L Y H P A R G O T O H P S R U
E L A S C I T O I B I T N A B
P O T M I C R O S C O P E C M
H N E S S L L E C L E U F R A
O P N T P I L C R E P A P O R
N R R R J G G T R O C K E T I
E U E N O H P E L I B O M O N
F U T S A T E L L I T E S M E
W R N I R I P S A R I T A W N
E A I R P L A N E E G I T D B
```

AIRPLANE	NYLON
ANTIBIOTICS	PAPER CLIP
ASPIRIN	PHOTOGRAPHY
CLOCKS	ROCKET
COMPUTER	SATELLITES
ELECTRIC LIGHT	SPACE CRAFT
FUEL CELLS	STAPLER
INTERNET	SUBMARINE
MICROSCOPE	TELEPHONE
MOBILE PHONE	TELESCOPE
MOTOR CAR	TELEVISION

Puzzles

```
T R X P D F I L L O M I N O R
K M E L A R E T A L Q A D R S
B M I S O L O E B A K I R U N
R A T F A R E W D S U D O K U
Q R T U U E Y E S H A E W A D
R G I T N S T P H S G A E K R
H O F O L T X N U W O O D K O
E T D S R E D N I F D R O W W
R P R H R K S F T A R R C P K
I Y O I S V U H P R R V O A N
O R W K W A S G I J U B E W I
Q C O I E L Z Z U P C I G O L
U J X T N H C R A E S D R O W
C X E N I G M A N A G R A M H
E I J N A H J P J W S E L S I
```

ANAGRAM

BATTLESHIPS

BRAINTEASER

CODE WORD

CROSSWORD

CRYPTOGRAM

ENIGMA

FILLOMINO

FUTOSHIKI

HANJIE

HITORI

JIGSAW

KAKURO

LATERAL

LINK WORD

LOGIC PUZZLE

NURIKABE

SUDOKU

WORD FINDER

WORD FIT

WORD SEARCH

WORD WHEEL

Happy Go Lucky

```
L C P L S S E L S S E R T S V
U L A U G H S E I R R O W O N
F I S R E M I T Y A D I L O H
P H E D E L L I H C T L A D E
L A L A F F P T H C B M T E U
E R F T W Q R X H P M S S T E
H U C K L E B E R R Y F I N N
T M O U Z N D L E O L A M E V
H S N A I O E B L P D E I T I
A C F Z F O U A A O N R T N A
R A I F A T L I X R E U P O B
T R D S O R A C E T I S O C L
N U E X P A V O D I R I Q D E
I M N R E C Q S T O F E R W X
L T T J K J R P G N I L I M S
```

CAREFREE	LEISURE
CARTOON	NO WORRIES
CHILLED	OPTIMIST
CONTENTED	PROPORTION
ENVIABLE	RELAXED
FRIENDLY	SELF CONFIDENT
HARUM SCARUM	SMILING
HELPFUL	SOCIABLE
HOLIDAY TIME	STRESSLESS
HUCKLEBERRY FINN	SWITCHED OFF
LAUGH	VALUED

Wonderful Las Vegas

```
L M V Q V W J T S F S P I H C
O G R T S H O W S L W O G L I
K M T C D I A E N S T N O J R
P G N G A O H R I M T I L B C
E R E H P S O T A R T S D M U
N A M P M L H O T H I A E E S
I N N M O R U O N E A C N D T
H D I J V K Y X U F L S N L I
C S A D A V E N O T A U U O D
A U T P B U I R F R S S G H E
M P R N U G N I L B M A G S R
T P E C A L A P S R A S E A C
O I T H E S T R I P P R T X D
L T N N Y W E I R R I X L E H
S B E L L A G I O G W O U T A
```

BELLAGIO	LUXOR
CAESARS PALACE	MGM GRAND
CASH OUT	NEVADA
CASINO	POKER
CHIPS	SAHARA
CIRCUS	SHOWS
CREDITS	SLOT MACHINE
ENTERTAINMENT	STRATOSPHERE
FOUNTAINS	TEXAS HOLD 'EM
GAMBLING	THE STRIP
GOLDEN NUGGET	WYNN

Nuts

```
T K C R A L M O N D K S W E S
B I A A Y R O K C I H E L L O
W M P I S T A C H I O A A C M
P B A R M H T R K T X G R Z D
A B S V D A E U N I N R G U R
T U A N L T D W N A N O N Y I
E T S T U N P A C R C G I S J
E T U N T S E H C T E E W S L
O E H E X A G O N A L T P N T
B R A Z I L U L E V M R T T O
A F C T X P C H R O M E D U H
U L O F L G S P A X M B H N B
V Y R I P E A N U T S L B L Q
T U N O C O C O Q A I I O A U
E G S E S I Y C S A V F B W C
```

ACORNS	HEXAGONAL
ALMOND	HICKORY
BRAZIL	LOCKING
BUTTERFLY	MACADAMIA
BUTTERNUT	PEANUT
CAP NUTS	PECAN
CASHEW	PISTACHIO
CHROMED	SQUARE
COCONUT	SWEET CHESTNUT
COUPLING	WALNUT
FILBERT	WING

Skipper Butterflies

```
L H S A B U J L G R T S Q D U
A E W U A R Z T L B F I T E A
S Y L U N G S T S W A R T H Y
H A B T A R C S Q I C I S C R
R T J R N E I P U M E L M A E
E W I O A R T S K N T U E P I
J T H P K A S E E L E L H A F
A Y C I O W A A I G D L C H S
Y B L C R A T C H P C I A K J
X R O A A L N T S Z O H S S S
D S U L N E A I E O B D C E R
D R D C G D F B W U W N S V U
R I E P E E U R O P E A N R A
O A D E D U T R P U B S X D R
G S J R U N P W L N T L L U G
```

APACHE	LIRIS
BANANA	ORANGE
CLOUDED	OSCA
COBWEB	POWESHIEK
DELAWARE	SACHEM
EUROPEAN	SALENUS
FACETED	SANDHILL
FANTASTIC	SUNRISE
FIERY	SWARTHY
GARITA	TROPICAL
JUBA	WHIRLABOUT

Christmas Time

```
E J M A R V P D A V P Y M H J
Y T I V I T A N S A T G U I J
A N S P I R I T G C N I P N Z
D K T A U G O N N A S G M O L
I S L L E B T R I T T D E E S
L C E L E B R A T I O N R L T
O O T E A P A S E O C A R A S
H Z O L D T D T E N K R Y J C
O B E I A I I O R N I Z T F O
L H L A F V T D G O N N R C Z
L X D S E A I E I I G T A U H
Y N N S X U O T L N S O P O E
G A A A L D N V S U G P S T R
F M C W I C R D A E Y S S M T
N I R D R C W U O R F H A R C
```

ANGELS	NATIVITY
BELLS	NOEL
CANDLE	PARTY
CARDS	REUNION
CELEBRATION	SPIRIT
FESTIVAL	STOCKINGS
GREETINGS	TIDINGS
HOLIDAY	TRADITION
HOLLY	VACATION
MERRY	WASSAIL
MISTLETOE	YULETIDE

Comedy TV

```
I P H O N E Y M O O N E R S S
A M O N T Y P Y T H O N P Y W
N O S R A C Y N N H O J A A O
S R E T S N U M E H T J T D H
N K C S E I N F E L D Y I Y S
O A A S D N E I R F D C Q P T
S N R A S E C D I S K G H P H
P D G N Y C U L E V O L I A G
M M D A N N Y K A Y E S W H I
I I N L I V I N G C O L O R N
S N A W O O D Y A L L E N R O
E D L S S Y A D I R F I X A T
H Y L O K N O T L E K S D E R
T A I E Y R E I S A R F T F S
K S W O D A E M Y E R D U A A
```

AUDREY MEADOWS

DANNY KAYE

DICK VAN DYKE

FRASIER

FRIDAYS

FRIENDS

HAPPY DAYS

HONEYMOONERS

I LOVE LUCY

IN LIVING COLOR

JOHNNY CARSON

MONTY PYTHON

MORK AND MINDY

RED SKELTON

SEINFELD

SID CESAR

TAXI

THE MUNSTERS

THE SIMPSONS

TONIGHT SHOW

WILL AND GRACE

WOODY ALLEN

'J' Words

```
R F J S T S B O J I Y F C N Q
D U J A E I A A D Z T A X Y F
R E L O K R D I A U O E U U Q
H S T T J E L L Y P J Q R S N
S L U L D K S A A O C U O A N
D I A L I O S L T K E A P C W
H A F F A J A M A I C A G Y I
A J L U A R U L F N J A A E S
F I R C S E G D U J R E J L O
I Z K J A M M Y G R A U O U S
S S P E R Q L L W M S D O O I
O M X O J U S T I C E Z E J G
I Q T T L V X S T V M N W S J
T L R E B Y T U C I T W T D R
T O S I N L O J I V E D S T O
```

JACKAL	JILTED
JACKS	JIVED
JADED	JOBS
JADES	JOKER
JAFFA	JOULE
JAILS	JOURNAL
JAKES	JUDGE
JAMAICA	JUDGMENT
JAMMY	JUDO
JAPAN	JUSTICE
JELLY	JUSTLY

Dinosaurs

```
A I B M A L O E O R A P T O R
E A B E L I S A U R U S A U F
S L I G U A N O D O N B B T U
U L T A N O D O C O L A R E A
S O F R O G S A S E R G O K I
U S A A I Z O Z S O R A S R R
C A O P C C C B S A X C A E A
O U G T E I E A I D U E U P B
D R A O P L U R R T B R R U O
O U S R D R R P A D I A U T J
L S T S U M I M I T I T S S X
P A O S O C R X V C O O A A I
I P N S J U R G I T T P D N A
D E I N O C H E I R U S S O N
K N A B X A A C I O N O D O N
```

ABELISAURUS	EOLAMBIA
ABROSAURUS	EORAPTOR
ADASAURUS	ERKETU
ALLOSAURUS	GASTONIA
ALOCODON	GOBITITAN
BAGACERATOPS	IGUANODON
BAROSAURUS	JOBARIA
CARDIODON	MEGARAPTOR
CIONODON	T-REX
DEINOCHEIRUS	TIMIMUS
DIPLODOCUS	TRICERATOPS

Pancake Toppings

```
J S U N D R I E D T O M A T O
L G I S J E F S P I N A C H L
I G B U T P I N E A P P L E I
F E E B D N U O R G Y L K W V
F D T V E G E T A B L E S I E
F E I G W S M O O R H S U M S
O C T L R T A E B A L Y R A D
O I L A L K T A I Y Q R T L R
U L Z U C C H I N I U U J A T
K S B R E H H S E R F P R S E
N U Z F R G E G N A R O S U R
A G P M A H D E K O M S O W V
B A C O N I O N S T U N L A W
L R L E M O N A G E R O A U U
O H F A O A T R P T R S J T R
```

BACON	OREGANO
DILL	PINEAPPLE
FETA CHEESE	SALAMI
FRESH HERBS	SLICED EGGS
GROUND BEEF	SMOKED HAM
LEMON	SPINACH
MAPLE SYRUP	SUGAR
MUSHROOMS	SUNDRIED TOMATO
OLIVES	VEGETABLES
ONIONS	WALNUTS
ORANGE	ZUCCHINI

Straight To The Point

```
P V K A O T I N T E N S E R J
I O R O U A R P C T U M J L K
L C O N C I S E B S W K P U S
F A G R A M M A T I C A L O L
I B E A I R S A N E P R A H S
N U E C R E I P C U T T I N G
E L B A D N A T S R E D N U L
E A P T P R T N A V R E S B O
D R E G A E E S I C E R P R G
G Y L T C E R I D P U R E F I
E K U N A M U R T Y R R A H C
X A C O S P X R T I Z K K A A
A S I O W D E F I N I T E D L
C T D N U E V I T P E C R E P
T S P C C L E A R I E G S C N
```

CLEAR	LOGICAL
CONCISE	LUCID
CUTTING	OBSERVANT
DEFINITE	PERCEPTIVE
DIRECTLY	PIERCE
EAGER	PLAIN SPEAKER
EXACT	PRECISE
FINE EDGE	SHARPEN
GRAMMATICAL	SUSTAIN
HARRY TRUMAN	UNDERSTANDABLE
INTENSE	VOCABULARY

Japan

```
R K E K L I A R U M A S U N R
C A L S T R U V O K F E P I I
E B U D D H I S M R I R Y S T
U U I K G U E G G L E M N S O
A K A R A T E D A X P P O A K
A I M S I O T N I H S S M N Y
N F I S M F U Y V E S E E E O
V G N L T O Y O T A T I R T A
F P S E K A U Q H T R A E U I
C R H P R H O N S H U S C G M
I A U T J U J I T S U K A Q A
I L T Z S I T P R F Q U E E G
K Y O K O H A M A U U R T N I
D V V N V C O V A D E J Z F R
H S Q A D N O H O K K A I D O
```

BUDDHISM	MINSHUTO
EARTHQUAKES	MOUNT FUJI
EMPEROR	NISSAN
GEISHA GIRL	ORIGAMI
HOKKAIDO	SAMURAI
HONDA	SHINTOISM
HONSHU	TEA CEREMONY
JU-JITSU	THE DIET
KABUKI	TOKYO
KARATE	TOYOTA
KIMONO	YOKOHAMA

Breeds Of Cat

```
F T T U R K I S H A N G O R A
N A I N I S S Y B A U P J Y N
P C P A A B E S E N I L A B R
T I T I H U R S I L R A M U R
P C X S G R A J E B O M B A Y
B O U R N M X I A N E O M K R
O Y E E O E Y N I V I R A Z U
B A R P L S L A A N A K I L P
T F T F H E L Y G E L N N A P
A S R U S S I A N B L U E O N
I O A X I E T L A E O P C S T
L K H U T M N A M L D S O E E
O O C J I A A M R U G L O O O
H K W R R I H I I N A R N M I
E E E A B S C H B G R T A R L
```

ABYSSINIAN	MAINE COON
BALINESE	NEBELUNG
BIRMAN	OCICAT
BOBTAIL	PERSIAN
BOMBAY	RAGDOLL
BRITISH LONGHAIR	RUSSIAN BLUE
BURMESE	SIAMESE
CHANTILLY	SIBERIAN
CHARTREUX	SOKOKE
HIMALAYAN	TONKINESE
JAVANESE	TURKISH ANGORA

In The Bathroom

```
J L R S K E X H N Q E N F S V
L L P O W D E R T R E W O H S
Z E B O R H T A B U T H T A B
M N E R E T A W D L O C S M U
J N A E B J I Q S O M R A P B
U A U T B B L R E T O E F O B
O L T A U A O A I I I A H O L
R F Y W R T F L R O S M C I E
V E S T C H X U T N T E L D S
K A L O S R E K E U U N E A P
U G O H K O G E L Q R O A R U
P L P K C O N D I T I O N E R
U G R V A M O D O T Z N S I U
A E S D B O P A T T E O E U Q
I U U E N I S A B S E U T Y W
```

BACK SCRUBBER	EXFOLIATE
BASIN	FLANNEL
BATH TUB	HOT WATER
BATHROBE	LOTION
BATHROOM	MOISTURIZE
BEAUTY	POWDER
BUBBLES	RADIO
CLEANSE	SHAMPOO
COLD WATER	SHOWER
CONDITIONER	SPONGE
CREAM	TOILETRIES

Shades Of Green

```
P P E H R B T I P G V A P S N
O I O H S O Y S A T S E R O F
X A N N I U Q E L R A H D L I
Q O I E G A L F U O M A C I B
B A T E E K A P Y P L S R V L
C H A R T R E U S E M P X E T
C Z F G I A G Y C E D A J Z D
R N E E R G G N I C A R W S A
W A L L L G N I R P S A P S P
A I T G I D R J E E W G V J I
O S R N L M G A R L F U A Z U
T R Y U E M E R A L D S H V P
K E M J O I S H A M R O C K T
G P F S U N H I Y U H F L K K
P A S I T J Y I X P F P R L A
```

ASPARAGUS	LIME
CAMOUFLAGE	MOSS
CELADON	MYRTLE
CHARTREUSE	OLIVE
EMERALD	PEAR
FELDGRAU	PERSIAN
FERN GREEN	PINE
FOREST	RACING GREEN
HARLEQUIN	SHAMROCK
JADE	SPRING
JUNGLE GREEN	SWAMP

Winds Of The World

```
F A I R T S O L K V V U P S I
N A T K L U A F Z I A R P E R
L T L A R T S I M R L W K B Q
E T S E L A B R O H O L O S F
V A H L N K H W R L G R O W I
A N A O L U L S R S A Z N A K
N A R E N W O D N U S L I R L
T T M V W I L L I W A W H B C
E N A I T N P O Y K R A C M I
R O T C O D E L T N A M E R F
H M T S M K C D N I W I L A B
S A A N A A T N A S V A C W T
V R N Y N W A U S T R U O U L
E T O S I R B F L R A D R A V
O E L A G E R G P S G V E V D
```

ABROHOLOS	MISTRAL
AUSTRU	NORTE
BALI WIND	OSTRIA
BORA	SANTA ANA
BRISOTE	SHARKI
CHINOOK	SUNDOWNER
FREMANTLE DOCTOR	TAKU WIND
GREGALE	TRAMONTANA
HARMATTAN	VARDAR
LESTE	WARM BRAW
LEVANTER	WILLIWAW

US Astronauts

```
R F V K R S O O P C Q J S R L
O U X E M C T I N O O S V K P
S P N T T R J E S O C A M N R
S F Y C H E D E U H R O Q O U
R V Z T O I R Q M M C E U S A
E F E U R G N I S I O P M M A
Q U T B N H T T Q S T H A L
Y W C A T T R T A B J O R D C
F M S S O O X B F W S Z N A O
I P E T N N O A F L O V E L L
I S U G M L I H O F F M A N L
Y F F U D I F R R E K R A P I
R S H E P H E R D F A B I A N
H A N A B A C U U L A P S D S
N P T R I M G I D N A R B E F
```

ADAMSON	HOFFMAN
ALDRIN	JEMISON
ARMSTRONG	LOVELL
BOLDEN	MCBRIDE
BRAND	PARKER
CABANA	ROSS
CAMERON	RUNCO
COLLINS	SCHMITT
CREIGHTON	SHEPHERD
DUFFY	STAFFORD
FABIAN	THORNTON

Dance

```
E P E T S K C I U Q Q Y M R J
R L E C N A D S I R R O M E P
N F B J N R M E U G N E R E M
Y Y W O I A H C A H C A H C C
O R A G D T D E R U S O X N O
B O L E R O T E U A O G N A T
K S T N O T S E L R A H C D Q
R A Z Y R E S A R O V E A E I
E L I N D Y H O P B P I B N S
K S E U L B U Z E O U Y M I A
I A X A I L O I T V L G A L V
U M A M B O O Y S S I K S M T
L Q L L R M G Z O U A J A T O
C T X J C C U P W W O O R A T
L G T X A T O R T X O F Y S O
```

BLUES	MERENGUE
BOLERO	MORRIS DANCE
CHA-CHA-CHA	PASO DOBLE
CHARLESTON	POLKA
FOXTROT	QUICKSTEP
JITTERBUG	RUMBA
JIVE	SALSA
LINDY HOP	SAMBA
LINE DANCE	TANGO
MAMBO	TWO STEP
MAYPOLE DANCE	WALTZ

Popular Baby Names

```
G M Y W R Q R N A I T Q W H V
A M M E A S R B O A O F E E S
S S Z H T U E F T S M U R P A
U X B T A S H L E Y I I D Y R
R F O T I I P S I K C D N L A
O P C A O S O O O Z H R A I H
A S A M A N T H A J A I L M A
E K J A L H S A D Q E B L E N
D A N I E L I I B E L I E S N
T Q A L X D R V I I T Z B T A
L T S L I Q H I X R G N A I H
I K T I S K C L N K V A S H J
P B F W A R J O S E P H I I E
A V K B A T W T K R E T D L T
T N F F A L S A R I E E P D T
```

ABIGAIL	ISABELLA
ALEXIS	JACOB
ANDREW	JOSEPH
ASHLEY	JOSHUA
CHRISTOPHER	MADISON
DANIEL	MATTHEW
ELIZABETH	MICHAEL
EMILY	OLIVIA
EMMA	SAMANTHA
ETHAN	SARAH
HANNAH	WILLIAM

Truman Capote

```
N R T B I I N N O C E N T S E
J O N E C H R I S T M A S T T
R S U A S Y N A F F I T E U O
O T L T I O U U S D T H C D P
L R A T I U G D N O M A I D A
O E U H N G R R O O O R O P C
C E R E E R A E I L N P V X R
L O A D W E S Y T B R E R U I
A F W E Y E S H A D O R E S M
C N R V O N H E V L E L H N E
O I I I R W A P R O V E T O W
L G T L K I R B E C I E O S A
E H E T E C P U S N L R E R T
B T R D R H W R B I L L T E C
G T J O E L K N O X E R A P H
```

AUDREY HEPBURN	LAURA
BEAT THE DEVIL	LOCAL COLOR
CAPOTE	MONROEVILLE
CRIMEWATCH	NEW YORKER
DIAMOND GUITAR	OBSERVATIONS
GRASS HARP	ONE CHRISTMAS
GREENWICH	OTHER VOICES
HARPER LEE	PERSONS
IN COLD BLOOD	TIFFANY'S
INNOCENTS	TREE OF NIGHT
JOEL KNOX	WRITER

Edible Flowers

```
C E H O R E G O N M A P L E D
M L V T E K C O R A E S C S A
I I Q W I L D L E E K L L J I
S G M E W F T Q T O L L A H S
R E A O L N R T N W R N N T Y
K N Y R S A S C A M E L L I A
S I F L L A K T L W D E S H B
Q B L O U I E E E G Y I E E R
O M O P V R C G S Z Z R V R O
O U W A B V B P E E R N I S C
S L E I O N I O N C N Y H W C
I O R P U M P K I N N I C R O
K C O H Y L L O H X Q I H D L
H G I I F C H I C O R Y U C I
B K Y C A O J I E F E H A Q H
```

BROCCOLI	MAYFLOWER
CAMELLIA	MIMOSA
CHICORY	ONION
CHINESE KALE	OREGON MAPLE
CHINESE LANTERN	PUMPKIN
CHIVES	QUINCE
COLUMBINE	SEA ROCKET
DAISY	SHALLOT
FEIJOA	WATER BIRCH
GARLIC	WILD LEEK
HOLLYHOCK	WIRY WATTLE

Card Games

```
A O G P U B E Z I Q U E U T Y
L W H B S K L O N D I K E F M
C L H K R B L A C K J A C K M
A S E I L I M A F Y P P A H U
T R P C S E D A P S O I E L R
P T H M E T G G W K L L H U W
O L U T U E L A E C D O T S Y
H N N Z F R R R B P M T E H V
O P I O S H T F R B A T S P P
M U R S O T I P Q L I A A I P
U P A N S T R S O O D R H Q U
U A A A C A N A S T A O C U R
R B B C L T C O E U C H R E R
U Q U A Y U X I P H S D A T W
S A B Z R A U M P P K I L A V
```

BEZIQUE

BLACKJACK

BRIDGE

CANASTA

CASSINO

CHASE THE ACE

CRIBBAGE

EUCHRE

FREECELL

HAPPY FAMILIES

HEARTS

KLONDIKE

OLD MAID

PILOTTA

PIQUET

POKER

PONTOON

RUMMY

SNAP

SPADES

TOP TRUMPS

WHIST

Song Titles

```
E S E Y E E U L B O U P O R Y
V J C H A V U U R R H R E L I
E U E A E E E N Y N O E S H I
R A L L C R I E D O U T U G S
Y N E I N G P E D T N T A E R
D N B L A R N U I F D Y C O Y
A I R E D E A Q D A D W E R E
Y E A D S E C G A D O O B G S
T S T U T N I N W E G M D I T
I S I P E M R I O A Y A K A E
N O O I L S E C D W H N R L R
R N N S T A M N D A N I E L D
E G T P I H A A V Y J T X I A
T S G R E E N D O O R R S W Y
E D U J Y E H Z G G M I A I R
```

ALL CRIED OUT	EVERGREEN
AMERICAN PIE	EVERYDAY
ANNIE'S SONG	GEORGIA
BECAUSE	GREEN DOOR
BLUE EYES	HEY JUDE
CELEBRATION	HOUND DOG
DANCING QUEEN	I WILL
DANIEL	LET'S DANCE
DELILAH	NOT FADE AWAY
DO WA DIDDY	PRETTY WOMAN
ETERNITY	YESTERDAY

Wonderful Weather

```
M O E E I Z D T I F K A U L P
J I T A B N U T P C J E R O N
Y K S E U L B Q L Z N S L I L
Z Y R T C Z I O E N O L C Y C
E G U L E D U Z D R I Z Z L E
R G B C T D L N Z E S L S L Z
O O N R L F L I B A O E F K E
O F U E I O A A T R R R S P E
S L S D G W U R T T E D S C R
M S T N H E Q D D H Q W N O B
U I O U T E S I B Q F C O C T
C H R H N R R C I U U O W H Z
T N M T I O H A R A R S L Z S
P T Y T N B K F O K M S S L I
T U A U G N I Z E E R F T E R
```

ACID RAIN	EROSION
BLIZZARD	FOGGY
BLUE SKY	FREEZING
BREEZE	LIGHTNING
CLOUDBURST	MIST
CLOUDLESS	SHOWER
CYCLONE	SNOW
DELUGE	SQUALL
DRAFT	STORMY
DRIZZLE	SUNBURST
EARTHQUAKE	THUNDER

Comfort Foods

```
L R F X U W G W X E S Z I R Q
S M A E R C E C I T A P P I L
E Q O P B H I A K C P U R D H
O S L U A C P E L A E O L G X
T N T M K H N H S S A S B Z G
A Z A P E I E O I S N O M W T
T B E K D C K T T E U T A S D
O E M I B K C D T R T A C C N
P E I N E E I O E O B M A O R
E F D P A N H G H L U O R O D
U S A I N S C S G E T T O K A
T T E E S O T O A S T T N I L
L E R E S U A P P L E P I E A
X W B T H P Y Q S P R P P S S
I T L Y G C F M Y L L E J A I
```

APPLE PIE	JELLY
BAKED BEANS	MACARONI
BEEF STEW	MEATLOAF
BREAD	PEANUT BUTTER
CASSEROLE	POTATOES
CHEESE	PUMPKIN PIE
CHICKEN PIE	ROAST DINNER
CHICKEN SOUP	SALAD
COOKIES	SPAGHETTI
HOT DOGS	TOAST
ICE CREAM	TOMATO SOUP

Magazines

```
A M E R I C A N G I R L W P J
N K V H D Z A E S U R I A F S
I E E T T N I R P E U L B A S
M E R J Y O G G I N S T Y L E
A W Y T O G C B A B Y T A L K
T N D H H S O R H M S J T U O
I O A E A I R L I N E R S R O
O I Y A G E L P O E P Z T E L
N T F D A T T H E E D G E R S
C A O V L N E W S P A P E R S
A C O O K I N G L I G H T R O
R U D C A R C R A F T E C H O
O D R A O B L L I B F G I R Z
O E Y T E I C O S H G I H E A
A Y S E V E N T E E N U P K O
```

AIRLINERS	**EVERYDAY FOOD**
ALLURE	**FAIR USE**
AMERICAN GIRL	**GAME ZERO**
ANIMATION	**HIGH SOCIETY**
ARCHAEOLOGY	**IN STYLE**
BABY TALK	**LOOK**
BILLBOARD	**NEWSPAPERS**
BLUEPRINT	**PEOPLE**
CAR CRAFT	**SEVENTEEN**
COOKING LIGHT	**THE ADVOCATE**
EDUCATION WEEK	**THE EDGE**

Shades Of Red

```
S C A R L E T Y R P V R Q S O
W I I T S A G I E E S I R E C
Y K N S T A U C D R S B T Y D
P O F D Q O A P O S T E L R X
N O S M I R C U C I R E M R I
C N T Y D A R A H A A T M E K
O I U I R S N I R N W R B H E
F R N Y E P O R E R B O U C V
P A T Z A B I G E E E O R A R
L Z S Z E E L N Q D R T G R A
M I E A T R I A R R R G U M Q
W L H S U R M S R A Y S N I N
U A C S C Y R E D L E A D N Q
A U T A S D E R P E E D Y E N
O H J M A U V E T F Y T H E Y
```

ALIZARIN	MAUVE
BEETROOT	PERSIAN RED
BURGUNDY	RASPBERRY
CARDINAL	RED LEAD
CARMINE	RED OCHRE
CERISE	RUST
CHERRY	SANGRIA
CHESTNUT	SCARLET
CRIMSON	STRAWBERRY
DEEP RED	TERRA COTTA
INDIAN RED	VERMILION

Friends

```
A S Z P X Q A O W C P V L F O
P S Z R T E R O Y O A T V C W
K O S C E T T E U Q R A G Q R
O R M O N I C A N I E D L Y T
S L E B L A N C B O H H U E V
P E L P T P L B M R T R H K U
T H L O L R I U I B N S O E H
T C Y D R A E T S N U E I E M
O A C R N E R M O R G F E N E
O R A I E P L T M A U N F R A
E E T A N E H D N I L P U A G
Q L A J T H E O N E W I T H Y
E L O D N E T P E A C H V P T
P E R R Y T L Q P B H K C O R
Y G Q F S Q W F M A E C Q S K
```

ANISTON

ARQUETTE

BING

BUFFAY

CENTRAL PERK

CHANDLER

GELLER

GREEN

GUNTHER

JOEY

KUDROW

LEBLANC

MONICA

PERRY

PHOEBE

RACHEL

ROSS

SCHWIMMER

SMELLY CAT

THE ONE WITH

TRIBBIANI

URSULA

Elvis Songs

```
M P L E G N A M E N Z S I O S
D U G V E I R S O J B A K T X
C K C O R E S U O H L I A J Q
F O O L E B T F G O U T N A I
T O W G V M H O Y U E T Y V T
A H A N E O G T D N S U D C S
O S J I F N I H A D U R A N O
U L J N Y A L P E D E F Y F M
P L T R Q L R V R O D I N E L
I A A U I I O K I G E T O X A
O S K B S S B J M T S T W U N
I G U I T A R M A N H U E V Y
Y O B Y N N A D L D O T R S O
Y H I A B S H B L U E M O O N
U A I C U L A T N A S K M E E
```

ALL SHOOK UP	DANNY BOY
ALMOST	FEVER
AM I READY	FOOL
AMEN	GUITAR MAN
ANGEL	HARBOR LIGHTS
ANY DAY NOW	HOUND DOG
ANYONE	JAILHOUSE ROCK
ASK ME	MONA LISA
BLUE MOON	MORE
BLUE SUEDE SHOES	SANTA LUCIA
BURNING LOVE	TUTTI FRUTTI

Something Fishy

```
B E A R D F I S H F R H S A A
U F W I J Q I A W R A E I A Y
F R T M O H H H H G O R C D A
F N O M L A S S S A B R O E R
A B A D R H I I I S I D S T
L C A R Y S F F F Z F N L R A
O A H O V I G L R D B G I S B
F T N I O F O E E P N P N E H
I F A L H K D G H K E A G U A
S I R O C C M N C A R P B D L
H S I F N O G A R D T N L G I
D H P E A R G R A Y L I N G B
I R H V C G D O G R L A R L U
B Z I P X L U R B Z T R O U T
E H A F A U X R S Y V Z B R U
```

ANCHOVY	DOGFISH
ANGELFISH	DRAGONFISH
ARCHERFISH	GOBY
BANDFISH	GRAYLING
BASS	HALIBUT
BAT RAY	HERRING
BEARDFISH	LUNGFISH
BUFFALOFISH	PIRANHA
CARP	ROCKFISH
CATFISH	SALMON
CODLING	TROUT

In The Kitchen

```
E R E L D D I R G E R O S F L
Q R S J I C A K E B O X I L R
X O B O I L E R T N B Q F O A
O W R O L L I N G P I N T U A
T B E X S S C A L E S A E R O
M R A J E L K C I P C P R E I
A E D K R W H I S K U E E T M
Z A B I U E O T P E I C D A S
S D O L S K M B I I T U N R T
R P A A A H S A C P T A A G H
E A R B E S C J E I I S L S T
N N D S M O R L B T N A O S R
L T O P E E F F O C S A C O A
T O Z D U C O R X T X K V Y O
T R T B L T H D I S H P A N U
```

BISCUIT TIN	GRIDDLE
BOILER	MEASURES
BREAD BOARD	PICKLE JAR
BREAD PAN	ROLLING PIN
CAKE BOX	SAUCEPAN
COFFEE POT	SCALES
COLANDER	SIFTER
DISH CLOTH	SPICE BOX
DISH PAN	STEAMER
FLOUR	STRAINER
GRATER	WHISK

The Bookworm

```
R M A I N O D L E W Y A F T T
O H A R R Y P O T T E R O S E
V I R G I N I A W O O L F P T
Y K S T E R A P A R A S A G T
J H L A M A R Y W E S L E Y H
R C E T B U Q S S U E S R D E
R R W A T E R S H I P D O W N
T A Y R O W L I N G R D E J R
O M R T T L D A E M M A D A Y
L E C R E I B S L L L R E N J
K L D I C K E N S L S J B E A
I D O N Q U I X O T E P M E M
E D I T H W H A R T O N A Y E
N I O T E M A M D I V A D R S
D M T G O R E V I D A L A E K
```

ADAM BEDE	HENRY JAMES
BIERCE	ISABEL ALLENDE
DAVID MAMET	JANE EYRE
DICKENS	JRR TOLKIEN
DON QUIXOTE	MARY WESLEY
DR SEUSS	MIDDLEMARCH
EDITH WHARTON	MURIEL SPARK
EMMA	ROWLING
FAY WELDON	SARA PARETSKY
GORE VIDAL	VIRGINIA WOOLF
HARRY POTTER	WATERSHIP DOWN

Classic American Cars

```
I R E H P E Z N O R A B E L G
T S E Y H X T O A Y G L R V R
P T O E C R I A S R O C H B A
M O P R O A D M A S T E R V N
T L A E N O S D U H A L R U A
L D R T T H U N D E R B I R D
Z S K N I C P T F U A U V E A
S M W O N R A L T G S E I K A
R O O M E R E L C K O L E R X
I B O N N E V I L L E D R O Y
H I D A T P U U K I T O A Y C
G L P W A P A E C J D R G W A
O E O H L I F A I R L A N E K
C O R B E L A I R R R D C N I
D K E Y R C R E G A Y O V J R
```

BEL AIR	LEBARON
BONNEVILLE	MONTEREY
CADILLAC	NEW YORKER
CLIPPER	OLDSMOBILE
CONTINENTAL	PARKWOOD
CORSAIR	RIVIERA
ELDORADO	ROADMASTER
FAIRLANE	SARATOGA
FLEETWOOD	THUNDERBIRD
GRANADA	VOYAGER
HUDSON	ZEPHER

Herbs And Spices

```
P E S C I R E M R U T U E W E
S C A R D A M O M E A A T S R
X I K O R T T Y Q V R R O R E
A P I S E S I K V T S R O G P
T S R W P E P P E R C O R N P
U L P F L S R H T U Y W R O E
U L A Y E I M R M N E R E T P
B A P L R N S I L H L O G G E
Y R T I E A N A D G S O N B N
A F E G A S M E B R R T I A N
W C U S E V A E L Y A B G T E
A H V E M Y H T S T P T H S Y
R I D S S A R T X O G E S B A
A L C H A N O G A R R A T U C
C I L R A G R Q A M A E T S M
```

ALLSPICE	GARLIC
ANISE STAR	GINGER ROOT
ARROWROOT	MUSTARD
BASIL	PAPRIKA
BAY LEAVES	PARSLEY
CARAWAY	PEPPERCORN
CARDAMOM	ROSEMARY
CAYENNE PEPPER	SAGE
CHILI	TARRAGON
CUMIN SEED	THYME
FENNEL	TURMERIC

The Caribbean

```
N A V A S S A U O H J I S D I
I C R E W O A U G I T N A O S
G I R U S E G S O D A B R A B
R A P R B G U A D E L O U P E
I M M R U A U I B T U B D Q I
V A O Y P O S N L O O I N P E
H J N R G A U T G Y T R O A G
S U T B R L Q K F M M D H C Z
I R S H E L V I K L P I S I I
T N E C N I V T N I A S A N R
I E R I A U I T I A H L M I T
R V R E D G G S V A R A A M R
B I A E A N A M Y A C N H O A
P S T P A A T R I N I D A D R
Z F I R O S A D U B R A B T E
```

ANGUILLA	GUADELOUPE
ANTIGUA	HAITI
ARUBA	HONDURAS
BAHAMAS	JAMAICA
BARBADOS	MONTSERRAT
BARBUDA	NAVASSA
BIRD ISLAND	NEVIS
BRITISH VIRGIN	SAINT KITTS
CAYMAN	SAINT VINCENT
DOMINICA	TOBAGO
GRENADA	TRINIDAD

Lakes Of The World

```
E R I H A R D I N G T H N E E
Y Y K U M E N D E Z R T I N O
H U A E Z S A Y U P D R G T A
R D L C D G R O I R E P U S K
S A O C C O L O H T O S L T I
Q E I H A E S N A I P S A C Y
J H R A S V R N E E L R U L N
F K A M R A E B T A E R G A A
R N T P O L A R A O B L B I G
X A N L K S L A K I A B Y R N
G B O A P T I K F B C K T B A
H F A I C A S O O L A C S U T
A G U N T E R S V I L L E G R
V I C T O R I A N Y A N Z A O
M I C H I G A N H U R O N F R
```

ARAL	HURON
BACALAR	LURLEEN
BAIKAL	MENDEZ
BANKHEAD	MICHIGAN
CASPIAN SEA	ONTARIO
CHAMPLAIN	ST CLAIR
ERIE	SUPERIOR
GREAT BEAR	TANGANYIKA
GREAT SLAVE	THOLOCCO
GUNTERSVILLE	TUSCALOOSA
HARDING	VICTORIA NYANZA

The Simpsons

```
B L A M O M I L H O U S E N C
O C Y J A I E I S Q Y N R O S
P S N R U B A R T H A A U S Q
J M A H A R B A O L S H L P O
R B M U G G I W F E I H C M N
I O K N V R T U N S L A C I T
T O C T U P S R E H T I M S T
E B O B W O H S E D I S Y K M
E S R E D N A L F D E N O A W
A I B Y E Q S K I N N E R N N
H H T B H O M E R A T G T O U
J P N M A G G I E U E P R M W
D L E I F G N I R P S Y V O T
J A K U U V E R Q U C T V V E
M R U Q S R H S A H G T Y T D
```

ABRAHAM

BART

BURNS

CHIEF WIGGUM

HANS

HOMER

KENT BROCKMAN

KRUSTY

LISA

MAGGIE

MARGE

MILHOUSE

MONA

NED FLANDERS

QUIMBY

RALPH

SIDESHOW BOB

SIMPSON

SKINNER

SMITHERS

SPRINGFIELD

TROY MCCLURE

Flying The Flag

```
U A V P S P H J Y L A T I T W
S P H O S Y K T R H L S R E I
A U I Y Y U Q L R F R S P L G
N S K H T N P O L A N D S I R
M O D G N I K D E T I N U H E
A U N C A T C L N F R A N C E
R T A A N E K N R A Z L I R C
I H L D I D R R A S L R C P E
N K R A T S N O A C O E I A Q
O O E N N T Y A P M I H R X M
E R Z A E A Z A L A N T O I F
I E T C G T P I L N G E A A X
C A I E R E A A A A I N D V O
X H W Y A S X X J I M F I Q A
A U S T R I A S R P F C U S C
```

ARGENTINA	JAPAN
AUSTRIA	MALAYSIA
CANADA	NETHERLANDS
CHILE	POLAND
DENMARK	SAN MARINO
FINLAND	SINGAPORE
FRANCE	SOUTH KOREA
GREECE	SWITZERLAND
IRELAND	UNITED KINGDOM
ISRAEL	UNITED STATES
ITALY	VATICAN CITY

On Broadway

```
Y N A P M O C A B A R E T H O
T C T Z T E T X D W B A T A Q
O O G A C I H C P R S J S I L
L J U T H E P R O D U C E R S
E C Y N I E T S R E M M A H F
M H S I R V I N G B E R L I N
A O A S F U N N Y G I R L E B
C R N H A M O H A L K O Z A W
A U D O C I W G N I K N O I L
T S D W M I E H D N O S W B A
S L O B X U B O B F O S S E P
H I L O A C O L E P O R T E R
O N L A K K I S S M E K A T E
W E S T S I D E S T O R Y J Y
S H T D T L E S S E J I V R N
```

BOB FOSSE

CABARET

CAMELOT

CATS

CHICAGO

CHORUS LINE

COLE PORTER

COMPANY

FUNNY GIRL

GUYS AND DOLLS

HAIR

HAMMERSTEIN

IRVING BERLIN

KISS ME KATE

LION KING

OKLAHOMA

PORGY AND BESS

SHOWBOAT

SHOWS

SONDHEIM

THE PRODUCERS

WEST SIDE STORY

Famous Poets

```
W U C Z Z N O S N I K C I D E
X O A K Q L I U S N O R Y B D
L L U H T A L P A I V L Y S T
O E O Y S W H I T M A N L Q A
K G R E B S N I G N E L L A F
G N E L W H A R T O N O E T D
N A K L R P F H S A N S W O X
L A K E O V O C H G T S O I I
T Y C H T M U O F S N P L L L
S A A S A M R E K R A P T E H
K M J S M E L V I L L E R S I
E C T I S L N O S Y N N E T P
A D N U O P A R Z E S T B P U
T G D W H S A N N E D G O P I
S N O S R E M E H T S O R F R
```

ALLEN GINSBERG	MAYA ANGELOU
BYRON	MELVILLE
CUMMINGS	OGDEN NASH
DICKINSON	PARKER
DYLAN THOMAS	ROBERT LOWELL
EMERSON	SHELLEY
EZRA POUND	SYLVIA PLATH
FROST	TENNYSON
JACK KEROUAC	TS ELIOT
KEATS	WHARTON
LONGFELLOW	WHITMAN

Frasier

```
B U L L D O G B R I S C O E E
E P S W R C A T E S D Y N Y S
L E N H P A D X M E W L I M G
D A E D S F A T M S I A H O W
E S R F Y E V P A H U D A O A
E N A R C N I T R A M Y D S S
N I D A H E D F G N I N B E H
E P I S I R A M Y G N N V P I
C L O I A V N K E R S E L I N
A I S E T O G R S I E K O U G
P G H R R S E H L L K V Y O T
S I O L I A L S E A T T L E O
A R W L S F L N K A C L V B N
O E R S T T A T T J A J P T A
H P D B X J G O O D N I G H T
```

BULLDOG BRISCOE	MARIS
CAFE NERVOSA	MARTIN CRANE
DAPHNE	MOOSE
DAVID ANGELL	NILES
EDDIE	PERI GILPIN
FRASIER	PSYCHIATRIST
GOODNIGHT	RADIO SHOW
JANE LEEVES	SEATTLE
KACL	SHANGRILA
KELSEY GRAMMER	SPACE NEEDLE
KENNY DALY	WASHINGTON

Double Trouble

```
J R T V P G U M T T W A S T B
R V U T L P Y G I X X Z F S X
M J T I T W I S R T R P D S G
T W T E N Z Y S E O S Z E V E
Q F S J K A R E L O O C D A U
V Z T A X I I N G O D V E C O
R A B L O O M I N G O Z E U B
S I T M B E E F A F K H N U K
M E C B A M B O O W R N C M Q
A E G N I P O O R D A E H S I
T G E P E Q I G U R V H E S A
O J R T D E C R E E D E E D A
C Q V E S J G B E E R Y K Z H
E L S X E E T P O D A E J A D
P K G R E E N O O B A B V U T
```

AARDVARK	DROOPING
ADOPTEE	ESTEEM
AGREE	FREED
BABOON	GOOFINESS
BAMBOO	GREEN
BEEF	GROOVE
BEER	HAWAIIAN
BLOOMING	NEEDED
CHEEK	SCHOOLS
COOLER	TAXIING
DECREED	VACUUMS

Computing

```
C O M P R E S S I O N Q U E O
K K E Y B O A R D D D R Y P N
C E T Y B A G I G W P G E K Q
I R S Y H A R D W A R E G R N
L T Y E N A P A J A N Y A O Z
C E S P S O R O T I N O M W V
C R G O T U I D R X L C I T L
O E N P B O O T D E V I C E I
A D I S R F G M A I V J N N Q
O L T N F O I R C C S R W U X
O O A B K P G L A H I K E W X
W F R E E W A R E P S L C S Z
U S E S A B A T A D H P P R T
U U P I E A S I T M O Y I P I
Z C O M P U T E R Y A P L P A
```

APPLICATION	HARD DISK
BOOT DEVICE	HARDWARE
CLICK	IMAGE
COMPRESSION	KEYBOARD
COMPUTER	LINUX
CRYPTOGRAPHY	MONITOR
DATABASE	MOUSE
FILE	NETWORK
FOLDER	OPERATING SYSTEM
FREEWARE	PROGRAM
GIGABYTE	SERVER

Snake In The Grass

```
S A O U Y Y P U S M E E M N N
X S P V E K A N S T A R A H L
O H R K I N G S N A K E S O D
Y L T V R O S Y B O A D S O A
P Z L U R A T T L E S N A K E
D I A M O N D B A C K I S N H
S K U O J M G F C S V W A O W
A W O B L I N D K I Q E U S O
S H O V E L N O S E O D G E R
C A P B D E Y E T A C I A S R
A K C E N G N I R T X S S R A
R F I S S I K Z I I O A L E N
L R J C O R A L P S F C P G U
E U A D A E H R E P P O C I O
T L Y R E C A R D E P I R T S
```

BLACK STRIPED	NARROWHEAD
BLIND	RAINBOW
CAT EYED	RAT SNAKE
COPPERHEAD	RATTLESNAKE
CORAL	RINGNECK
COTTONMOUTH	ROSY BOA
DIAMOND BACK	SCARLET
HOOKNOSE	SHOVELNOSE
KINGSNAKE	SIDEWINDER
LYRE	STRIPED RACER
MASSASAUGA	TIGER

ABBA!

```
A M G A H T E N G A G O P M A
B L A R K A A L I I N I V I O
B Y F R T C V N T M I H O P O
A N A I D U A E R A R E R S L
D N G V A P C T L M G A S E R
I E S A N R H O T M N D T Y E
R B U L C M I F C A I O S E T
F Q O E I O Q P I M R V W L A
I L V A N D U S S Q U E E E W
H A Z G G N I T U Q K R D G U
O C E L Q A T A M F V H E N L
R I L E U N I S P G O E N A U
R S U P E R T R O U P E R U B
R U O J E E A R P N R L N O G
M M V O N F B E E T U S E O O
```

ABBA	MAMMA MIA
AGNETHA	MUSICAL
ANGELEYES	ONE OF US
ARRIVAL	POP MUSIC
BENNY	RING RING
CHIQUITITA	SUPER TROUPER
DANCING QUEEN	SWEDEN
EAGLE	TIGER
FERNANDO	UNDER ATTACK
FRIDA	VOULEZ VOUS
HEAD OVER HEELS	WATERLOO

American Mayors

```
Z Z S X U E U O D E B O H L H
L I N D S A Y R G L L E O N V
T A F L D D E E A V D N O T X
I M G R S P A L Y Y W R D O T
I N D U E B E W N S A A C P F
S L A I A N S A O I L E G U T
D G S I N R C S R E K B Y S J
A U R V L K D H Y T E D S O N
Q Y E E I U I I S T R O N G E
K S T E B W I N A H O E J O Y
H Y L A N M U G S N Z T E K W
H E A T H C O T E Z Z I I R L
C U W L P Q N O S L I W V Y A
O G O O S S U N L Z R B O P A
K L L Q T H L O D B H R L E Z
```

BEARNE	KOCH
BLOOMBERG	LAGUARDIA
DALEY	LINDSAY
DINKINS	NOELL
EDSON	PEARTREE
FRENCH	RIZZO
GAYNOR	STRONG
GIULIANI	WALKER
HEATHCOTE	WALTERS
HOOD	WASHINGTON
HYLAN	WILSON

Nobel Prizewinners

```
I C C A M U S R N E R V B T A
O I Q A A P Q T R G O A E K L
A M E O T S I I G N I D L O G
Y A W G N I M E H G O I L X K
V R A S I T T E N A C M O A I
N T H E A N E Y T U H R W H P
E I S Y F G B E C Q U E R E L
B N D U L L E S S U R F Q N I
R S R S T E I N B E C K D T N
L O A S E R E T R E H T O M G
W N N A M D E I R F I S T L P
S O R S I J L G G O L L E K R
T M E R O O S E V E L T A X L
U I B E C K E T T U D P M S A
N S X R E T N I P A U L I N G
```

BECKETT	HEMINGWAY
BECQUEREL	KELLOGG
BELLOW	KIPLING
BERNARD SHAW	MARTINSON
CAMUS	MOTHER TERESA
CANETTI	PAULING
CHURCHILL	PINTER
FERMI	ROOSEVELT
FRIEDMAN	RUSSELL
GOLDING	SIMON
HEANEY	STEINBECK

Ice Hockey

```
T J S S K F E B O P K Z Z R V
Y H Y L S L U O F F S I D E H
T G A Z G N I D L O H E E K P
A X L P N A F Y O V K P J S Q
D F P U C K G C R O S S B A R
B I R A K C E H C K C A B T W
L P E D F F O E C A F U R A C
U E W O G L D C K Z O N E S L
E N O Z G N I K C A T T A Q Y
L A P T L T I P P M S E K S N
I L P I C I N G S O O E A L H
N T S I S S A O R H O R W A T
E Y I U R Q F A N A O Q A L C
S S A P D N I L B N H T Y C T
I S S G X N K G N I K C E D U
```

ASSIST	FACE OFF
ATTACKING ZONE	FLIP SHOT
BACKCHECK	FOUL
BLIND PASS	GOAL
BLUE LINES	HOLDING
BODY CHECK	ICING
BREAKAWAY	OFFSIDE
CAROM	PENALTY
CHARGING	POWER PLAY
CROSS BAR	PUCK
DECKING	ZONES

Skiing

```
S G N I D N I B C I D R O N Z
T K W K F I B E R G L A S S B
O T I L W P F D O W N H I L L
O S R J L S U L S N O W T P H
B T I B U U R R S C T S A B S
J N T S G M E H C N A L A V A
V S C T O M P R O T P X E O P
N Y N A M I G I U I T E C A M
R M O U N T A I N S G Q E E F
Z K R A M E L E T G N R O S A
Z L E T C H A I R L I F T V G
P F D V M N T Q Y A I E R A P
K A W S M O L A L S K Y F B Y
B U O U T R O S E R S H O E S
E R P I S T E H R I L U R A W
```

AERIALS	NORDIC
ALPINE	PISTE
AVALANCHE	POWDER
BINDINGS	RESORT
BOOTS	SHOES
CHAIRLIFT	SKI JUMPING
CROSS-COUNTRY	SKIING
DOWNHILL	SLALOM
FIBERGLASS	SNOW
MOGUL	SUMMIT
MOUNTAINS	TELEMARK

Modern Anniversary Gifts

```
S E F V G R Z S D N O M A I D
A T S P O R T S C A R E S G D
K E T A L S P A S S Y I O D F
S G E H F M C L I C R U I S E
R D L E C A O G L M R N Q S E
E A E I L K E L V M N S Z D H
W G C R U E F A E E S U R S O
O C A E B O D T R I I E G U L
L I R G S V M S W R U V K R I
F R B N R E E Y A A I U O P D
N T R I A R D R R Y T N G R A
D C Q L V T T C E B P C G I Y
N E N I L D N A E C A L H S S
T L C L O C K P P S L R A E P
H E L I C O P T E R R I D E V
```

BRACELETS	HELICOPTER RIDE
CLOCK	HOLIDAY
CRUISE	IVORY
CRYSTAL GLASS	LACE AND LINEN
DIAMONDS	LINGERIE
DINNER SERVICE	MAKEOVER
EARRINGS	PEARLS
ELECTRIC GADGET	SILVERWARE
FLOWERS	SPORTS CAR
GOLF CLUBS	SURPRISE
GOURMET MEAL	WATCH

Around The House

```
E R C S P M A L Y R U R O B A
L O U N G E O T Z D X E Z B C
Y W R U X E F O S S P N H P I
R R T L E H J R R S O C K E T
D R A L L E C C I D A T S U T
S I I R S A F H O D E I O S A
B K N E B Z H L C L G B C H H
F W S I N I S H E L V E S U P
K X R G N S L P E C S L L U L
S L O L I G H T B U L B T R K
Y O O M O O R X O B O Z X A H
T U D P N M O O R S E M A G A
R G U E S T R O O M T J E U M
R C L O A K R O O M D K G L T
W A B P U T R O T G J I K P S
```

ATTIC	HALL
BEDROOM	LAMP
BOX ROOM	LIBRARY
CELLAR	LIGHT BULB
CLOAKROOM	LOUNGE
CURTAINS	PHOTOS
DINING ROOM	PLUG
DOORS	SHELVES
FRIDGE	SOCKET
GAMES ROOM	TELEPHONE
GUEST ROOM	TORCH

Extreme Sports

```
A N B U N G E E X T R E M E T
R E G N A D S U R F I N G E R
A S S S S K Y D I V I N G C W
M O U N T A I N E E R I N G I
A E S N O W B O A R D I N G N
D R A G R A C I N G L W D V G
R U U B M X R A C I N G I R W
E T Y S C A V E D I V I N G A
N N Z K H T A C T I V I T Y L
A E T H A N G G L I D I N G K
L V B A S E J U M P I N G L I
I D G N I B M I L C K C O R N
N A U K N E E B O A R D I N G
E R A D G N I D A L B E T I K
P F M T G N I D I L G A R A P
```

ACTIVITY	KITE BLADING
ADRENALINE	KNEEBOARDING
ADVENTURE	MOUNTAINEERING
BASE JUMPING	PARAGLIDING
BMX RACING	ROCK CLIMBING
BUNGEE	RUSH
CAVE DIVING	SKYDIVING
DANGER	SNOWBOARDING
DRAG RACING	STORM CHASING
EXTREME	SURFING
HANG GLIDING	WING WALKING

National Parks

```
V O Y A G E U R S K R A P D W
I N D E P E N D E N C E R Q I
J R I T G R A N D C A N Y O N
A R K O B U K V A L L E Y T D
H Q T U M A C A C O R I E H C
A Y A W A T A C S I P U L A A
O A S E D R E V A S E M L L V
D M A M M O T H C A V E A E E
N L A D A H W S H R W S V A E
A A A N A C O S T I A A H K R
N G S E D A L G R E V E T A A
E E R T A U H S O J O A A L G
H B R Y C E C A N Y O N E A N
S F S S S L A K E M E A D O O
L A S A Q U A R O L Y M P I C
```

ANACOSTIA	MAMMOTH CAVE
BRYCE CANYON	MESA VERDE
CONGAREE	NORTH CASCADES
DEATH VALLEY	OLYMPIC
EVERGLADES	PARKS
GRAND CANYON	PISCATAWAY
HALEAKALA	SAQUARO
INDEPENDENCE	SHENANDOAH
JOSHUA TREE	TUMACACORI
KOBUK VALLEY	VOYAGEURS
LAKE MEAD	WIND CAVE

Waterfalls Of The World

```
C O L P D U E L V F S Z T R H
R L T I M C A S C A D E S S S
A P H U U O S S I K N I T S O
B L A M T R D D A Y I U B C U
T L O M A B T T U G E L A R A
R V T L R I W L C O U E O M F
E A A G A N N H F E Z H C Q L
E L T A Z C U I N U J U C E M
J O S U I R I I G I L A O R K
L B E T C E L M G R A M T N P
I M S H L E G N A R I G E U P
V A I I P K T L E D J V A R Y
E L B O Y O M A C V A Y B R H
L A A T A J S S R D J L Z E A
A K Z U P X D L A J O O I S M
```

AMICALOLA

ANGEL

BLUE NILE

BOYOMA

CASCADE

CHURCHILL

CORBIN CREEK

CRABTREE

ESTATOAH

FULMER

GAUTHIOT

IVELA

KALAMBO

MUTARAZI

NEVADA

NIAGARA

OUZOUD

TINKISSO

TOCCOA

TUGELA

VIRGINIA

YUTAJE

'G' Words

```
E U A E I E Y E T K Y H P H I
S E M A G A N G S T E R S A G
O A X M E F R E G N I G Z B T
L S S C I T E N E G A F F E R
T A E K I L M E G E L A T I N
E D N A R G L A C I A L L G K
V S E G O G G L E M S Q A Z A
C P U T A G Q O U N E D L O G
L X S B L E R G R L F O G G A
T J B G I L L Y F L O W E R P
I L A E R D G A Y P R N O R I
E R N N D I P A O T E Z L J N
D P O I R N N E D R A G O S G
T T B A S G C M A P T O G U A
L C I L R A G L P U B L Y Q L
```

GABBLE

GADFLY

GAFFER

GAMES

GANGSTER

GAPING

GARDEN

GARLIC

GELATIN

GELDING

GEMLIKE

GENEALOGY

GENERAL

GENETICS

GENIAL

GEOLOGY

GILLYFLOWER

GINGER

GLACIAL

GOGGLE

GOLDEN

GRAND

Cocktails

```
H L N I G K N I P T T Q P S Q
W N A I I A W A H E U L B F V
A A T H R T N P X N Y L B W R
E I I I U L O A D N O Y A D Z
C S L G T A S G L O E H H A T
A S O H A T R P D B T U A I M
M U P B E T E Y S U I M M Q D
P R O A M O M A I D B U A U F
A K M L A A E C N L T D M I I
R C S L R E P P O H S S A R G
I A O Y T O I P D L O L M I Y
R L C D I L B Z A Q R I A K A
P B P U N C H R I M F D Y T V
A H C N I R G A O O M E U H U
C F K F I R E F L Y S N W M I
```

ADONIS

BAHAMA MAMA

BLACK RUSSIAN

BLOODY MARY

BLUE HAWAIIAN

CAMPARI

CAPRI

COSMOPOLITAN

DAIQUIRI

DUBONNET

EMERSON

FIREFLY

FROSTBITE

GRASSHOPPER

GRINCH

HIGHBALL

MARTINI

MUDSLIDE

PINK GIN

PUNCH

ROB ROY

TEXAS TEA

Chemical Elements

```
N G O M U I C L A C A R B O N
R J F E I R O V E M G W J V E
B R L R B E R Y L L I U M Y G
D E O C A M U I D I B U R E Y
G N R U R N A L U M I N U M X
T O Y R I J C C T S G I M U O
A V L Y U M A I S P I C U I X
Z S I D M V U A U B N K I D P
X S T R O N T I U M L E S O E
Y R H S E O J A D L Z L E S M
E U I L P V F T L A B O C A U
P K U D A E L J Z Q R H T K O
J O M E A P N I P V M T F L P
O O T P M D N D S O A U R E Q
M Z A R L C Z N E I E S A Z I
```

ALUMINUM	LITHIUM
BARIUM	MERCURY
BERYLLIUM	NICKEL
CALCIUM	OXYGEN
CARBON	POTASSIUM
CESIUM	RADIUM
COBALT	RUBIDIUM
FRANCIUM	SILVER
GOLD	SODIUM
IRON	STRONTIUM
LEAD	ZINC

Politics

```
N I O R U A G U M A L P T S D
Q Q U P R I M A R I E S A A Q
D E G R E G N I T O V R O L G
U T U A S C O U N C I L O R A
T T C O M M U N I S T A T E I
O U P A C A N D I D A T E W E
L V L D E M O C R A T I P A J
L M A N D A T E O V N L F S P
A S P P A R L I A M E N T H O
B E O L L E A D E R S K C I R
U N F H C E E P S E E R F N V
N A F T H R L I B E R A L G U
I T I N A C I L B U P E R T Y
O O C E V I T A V R E S N O C
N R E T N E D I S E R P R N B
```

BALLOT
CANDIDATE
COMMUNIST
CONSERVATIVE
COUNCIL
DEMOCRAT
ELECTION
FREE SPEECH
LEADER
LIBERAL
MANDATE

OFFICE
PARLIAMENT
PRESIDENT
PRIMARIES
REPRESENTATIVE
REPUBLICAN
SENATOR
STATE
UNION
VOTING
WASHINGTON

Whales And Sharks

```
G R H L R F K C A B P M U H H
N N Q A X S T N P L X S S A O
E A T J U M Y K S U D S M R L
U G R W O K N D R E A M R L I
C U R W H U O A M S E J E E M
S L O A H A O E I R H S P Q T
L E T F Y A L H H U W J S U A
E B E Q P E L E O N O T F I L
K L Y L Y A A G O I B I R N W
N E U F G D B N K G S G A S L
I I B A M B O O T L L E W S Z
M P G R Y Q Z P O A S R D U K
Q D S B G N Q S O L C Y R I J
Z U O E S S L I T E Y E L E C
D S U Z J T R T H L T V T F I
```

BALLOON	HUMPBACK
BAMBOO	MINKE
BELUGA	NARWHAL
BLUE	NURSE
BOWHEAD	PYGMY
DUSKY	SLITEYE
DWARF SPERM	SPONGEHEAD
GRAY	SWELL
HAMMERHEAD	TIGER
HARLEQUIN	WHALE
HOOKTOOTH	ZEBRA

Cathedrals

```
S E R T R A H C W R N P R B W
P C C O L O G N E N C P A O O
U I O E S A L I S B U R Y S C
E N I V I D E H T N H O J T S
B E L L I V E S M M W H V O O
L V A Q A R B V I L L R F N M
A S U W A S H I N G T O N S S
N K S I U O L T S R E I R T L
K R A M T S E L T T A E S P I
S A N S M A G D E B U R G A S
C M N W E C N E R O L F W U A
I T E C A R G V S O C V N L B
A S L U A P T S N O D E L O T
A F M Y N S K C I R T A P T S
I K I R L T I B O S E R V I P
```

BOSTON ST PAUL

BRAQA

CHARTRES

COLOGNE

FLORENCE

GRACE

LAUSANNE

MAGDEBURG

PUEBLA

SALISBURY

SEATTLE ST MARK

SEVILLE

ST BASIL'S MOSCOW

ST JOHN THE DIVINE

ST LOUIS

ST MARK'S VENICE

ST PATRICK'S NY

ST PAUL'S

TOLEDO

TRIER

WASHINGTON

WESTMINSTER

Types Of Apple

```
S O M E R S E T R E D P S Y B
T Z E V P T G F T R A B I N E
M E L O N U C I E S B G L N J
M E R D U A H L S L I E N A L
D N O D H C I L S I N L O N L
L I S E T E S B U B E B T H A
U L E V I L E A R R T O S S T
Y O S O M L L R N O T N I O S
O R R R S I J R E W E N R T N
L A T P Y N E E D N B E F N A
O C A M N I R L L S E D L I W
O B K I N G S T O N B L A C K
P E B T A Z E A G O A O O M T
R Y M E R F Y I I U G G A C I
J R A Q G G V S T T U P M O T
```

ALFRISTON	IMPROVED DOVE
BROWN SNOUT	KINGSTON BLACK
CAROLINE	MCINTOSH
CELLINI	MELON
CHISEL JERSEY	MELROSE
COLE	NANNY
DABINETTE	RABINE
FILLBARREL	RYMER
GOLDEN NOBLE	SOMERSET RED
GOLDEN RUSSET	TOM PUTT
GRANNY SMITH	WANSTALL

Going Swimming

```
T L K C I K G O R F R A Z A M
I S C U L L I N G T P L T X A
S S I D E S T R O K E C O R R
S E K O R T S T S A E R B O M
S Y N C H R O N I Z E D D H P
P P I F R E E S T Y L E G C M
R Y H F R O N T C R A W L N Y
I E P P R O L W A R C K C A B
N L L G N I M M I W S U H M A
G D O G P A D D L E D V E T U
B E D E K O R T S K C A B A U
O M T B T B R F L U T T E R R
A B U T T E R F L Y O K U R V
R E L A Y L R Y A R O U T A T
D I V I N G R J R D X V B E O
```

ANCHOR

BACK CRAWL

BACKSTROKE

BREASTSTROKE

BUTTERFLY

DIVING

DOG PADDLE

DOLPHIN KICK

FLUTTER

FREESTYLE

FROG KICK

FRONT CRAWL

MEDLEY

POOL

RELAY

SCULLING

SIDESTROKE

SPRINGBOARD

STROKES

SWIMMING

SYNCHRONIZED

TREAD WATER

Mountains

```
F A V B I V F T Q E L B R U Z
I C N O P I T O U T P S L T P
S U I R B L A C K B U R N E F
S A E I U O B M O O F D L O S
A G V Z O P R N R Q G H R E W
M N E A U G A C N O C A T Z I
N U R B T I P N R B K U A R L
O J E A J V A X N E P L U I H
S N S R O R G R R A A A L L E
N E T S U A N I W D O G A U L
I H T X I T A Y E L N I K C M
V C D R O F N A S S G R A A G
A N A G O L J L Y C S I M N O
X A S L A A A K D E N A L I S
C K I L I M A N J A R O T A T
```

ACONCAGUA

ANNAPURNA

BLACKBURN

BONA

DENALI

DHAULAGIRI

ELBRUZ

EVEREST

FORAKER

GODWIN AUSTEN

IZTA

KANCHENJUNGA

KILIMANJARO

LOGAN

LUCANIA

MAKALU

MCKINLEY

NANGA PARBAT

ORIZABA

SANFORD

VINSON MASSIF

WILHELM

State Nicknames

```
I D S O O N E R Y H L V R E W
E R U S A E R T A K Z D I W G
Y S N A S I O W U L L R S A Q
E A F R C S K K H N I Q R C O
K R L G R E A T L A N D O E T
C N O X Y C S Z R O E N N N T
U O W E A O S P Y N S T P T E
B R E T A T S N O T T O C E M
E T R E T E A N I N W K S N L
T H R E B C K T G O L D E N A
I S L E D R U E E R T E N I P
N T R N V T I H Q A H O L A E
A A A A I L O N G A M V C L A
R R N O I N I M O D D L O Y C
G E N V I U I S S E R R R S H
```

ALOHA	MAGNOLIA
BUCKEYE	NORTH STAR
CENTENNIAL	OLD DOMINION
CONSTITUTION	PALMETTO
COTTON STATE	PEACH
GARDEN	PINE TREE
GOLDEN	PRAIRIE
GRAND CANYON	SILVER
GRANITE	SOONER
GREAT LAND	SUNFLOWER
HAWKEYE	TREASURE

In The Office

```
S T A P L E R E D N I B W L U
R E C E P T I O N I S T O M Z
E L R E L M E E Y O L P M E I
I E T R A I N E E Y D W H E X
P P T E N R E T N I I K O T K
O H T E N I B A C G N I L I F
C O W H I T E B O A R D E N E
O N T E N G Z M R K L D P G D
T E K V G B R L I A M E U R G
O S L I C N E P A T X S N O O
H R E I H S A C O M H K C O I
P R O T A L U C L A C C H M L
P I R M R E T U P M O C N U G
S E V I T U C E X E T Y Q U G
M N S T N E I L C A F F O M L
```

BINDER

CALCULATOR

CASHIER

CLIENTS

COMPUTER

DESK

EMAIL

EMPLOYEE

EXECUTIVES

FILING CABINET

HOLE PUNCH

INTERNET

LUNCH TIME

MEETING ROOM

PENCILS

PHOTOCOPIER

PLANNING CHART

RECEPTIONIST

STAPLER

TELEPHONES

TRAINEE

WHITE BOARD

Garden Produce

```
U N W S S R E P P E P Q M S L
O D I T P A Y R Q D U S M Z T
M C Y R O C I H C K M P U U O
L A R T I C H O K E P I R A M
F R R R B T S X I E K N M S A
P R E E N T Z T B I A V G T
D O B W A A W I O P N C O H O
Q T W O N L T X S M S H U T E
O S A L S P I N S R A P I N S
J S R F O G C J V N O R E H T
M N T I Y G V L N I I C R S W
S O S L B E E T R O O T K O M
N L M U S H R O O M I J B E W
X E G A B B A C I T N N T W T
S M E C U T T E L O E D O A V
```

ARTICHOKE	MUSHROOM
BEANS	ONION
BEETROOT	PARSNIPS
CABBAGE	PEPPERS
CARROTS	PETIT POIS
CAULIFLOWER	PUMPKINS
CHICORY	ROCKET
EGGPLANT	SPINACH
LETTUCE	STRAWBERRY
MARROW	TOMATO
MELONS	TURNIPS

Smash Bang Wallop!

```
S B U S T H O S P T U R U E U
E T M U S E S I O N N F K Z T
Y T S E T E X P L O D E P X V
B P T S J K T H I I T U E F O
X P R P C R A S S T K W A R P
Y V P A T C I A H C S G T I Q
K A H L X L K B A U R A X A D
S W L L L D Z R T R M K L V S
O V K O G E C W T T S R U B V
S C C C H S T H E S X P I S T
A G S L E T L S R E R U B M L
S A T A B R E A K D O W N A X
L G U P A O W M Q O R O S H T
S S O P N Y O S P O L L A W J
A M T U G B B M B H K B W C E
```

BANG	DESTROY
BASH	DESTRUCTION
BLAST	EXPLODE
BLOW UP	NOISE
BOOM	SHATTER
BREAKDOWN	SMASH
BURST	WALLOP
CLAP	WELT
COLLAPSE	WHACK
COLLISION	WHAM
CRACK-UP	WRECK

American Artists

```
R S B O T L T K C L R F G U E
K S A A A O D E H N E R C M A
A W I S N O S R A P T O T J U
T A T I T O J U M R R R G O M
E L K F X Z S R B N O O L U A
A K E L L Y I I E A P T F I U
Y E N A L E D L R N G I H P S
N R A N E E L E L R K F F K Y
X E M Y O J I A A S A C T C O
P T D T E N O W I L Q H E O E
I N E L H N M O N L C K L L L
J I I A L C S A M A R A S L B
E M R T V A E I S G K P P O E
X D F R P F E R D E Y D E P S
T R O R O G D T B S L T T E J
```

AITKEN	KELLY
AL CAPP	MINTER
BLECKNER	NEEL
BRECHT	PARSONS
CHAMBERLAIN	POLLOCK
CORNELL	PORTER
DEHNER	REINHARDT
DELANEY	ROTHKO
DISNEY	SAMARAS
FRIEDMAN	SEGAL
HARRISON	WALKER

Ballet

```
X L O R P S S E I R E T T A B
H E R S X J B A L L E R I N A
W R N O I T I S O P D R I H T
F T V T N A V A T U R N O U T
G T P A S D E B A S Q U E X E
L S A R B E D T R O P A U A M
I B T H E T T E U O R I P D E
S N C O C X L I J O I K T E N
S G N I R E N T R A P G N T T
A T T I T U D E O E M H A D A
D S A R A B E S Q U E B V D B
E E N T R E C H A T S R E M A
N O L L A B M O L P A B D I R
A H R I O I A L D R B S G T R
D O B R T Q Q K F A U N P D E
```

ADAGIO	DEVANT
APLOMB	ENTRECHAT
ARABESQUE	GLISSADE
ATTITUDE	PARTNERING
AVANT	PAS DE BASQUE
BALLERINA	PAS DE CHAT
BALLON	PIROUETTE
BARRE	PORT DE BRAS
BATTEMENT	ROND DE JAMBE
BATTERIE	THIRD POSITION
CODA	TURNOUT

Deserts

```
G B W N A M I B N O B S R S P
S R U I E P P T H O Q Y V P T
T I E S M L K D J A K R J V P
G R E A T V I C T O R I A T T
A A V B T R A A M A C A T A S
C H A T S S A H A R A N K W I
R A J A O A A K Y Z Y L K U M
U L O E N A I N O G A T A P P
A A M R O V A D D M O R D O S
R K G G R R C M A Y M R T K O
J V O K A R A K U M L R N L N
Y W B B N N A U H A U H I H C
Z I I S A N T A R C T I C K U
K A V I R I N T D T W U U M N
N O S B I G L X C N A D P A R
```

ANTARCTIC	KAVIR
ARABIAN	KYZYL KUM
ATACAMA	MOJAVE
CHIHUAHUAN	NAMIB
GIBSON	ORDOS
GOBI	PATAGONIAN
GREAT BASIN	SAHARA
GREAT SANDY	SIMPSON
GREAT VICTORIA	SONORAN
KALAHARI	SYRIAN
KARAKUM	TAKLAMAKAN

New York Subway

```
L Y T I R O H T U A T R O P R
L A R I E O O N W A L D O O W
A N R R M Y A W K R A P Y A B
H K A T E E R T S N A E D A R
Y E N V N F S A V E N U E I O
T E O N E E H S T G V N K B A
I S I A T N C T Q T L E R R D
C T T D U N U D U U S V R Y W
N A A V E N U E N O A A S A A
V D T N A E S M U A S R P N Y
F I S P R I N G S T R E E T R
H U N T E R C O L L E G E P E
I M N O T G N I X E L L E A W
Z D E R A U Q S N O I N U R O
O K P A R K P L A C E S R K B
```

AVENUE I	HUNTER COLLEGE
AVENUE N	LEXINGTON
AVENUE P	PARK PLACE
AVENUE U	PENN STATION
BAY PARKWAY	PORT AUTHORITY
BOWERY	SOUTH FERRY
BROADWAY	SPRING STREET
BRYANT PARK	TIMES SQUARE
CITY HALL	UNION SQUARE
DEAN STREET	WOODLAWN
GRAND CENTRAL	YANKEE STADIUM

Basketball

```
O U V H A K C O L B M T E T T
O Q O I V B O B A S A P G D D
R A K N U D M A L S L L A B G
D G G O P B P C T I M G H R L
D E F E N S E K P M U J F U U
P R F A N S T B G C F O K N A
U B I K E J I O C P U U F N U
S E T E L H T A L L A B R I A
G L N A S D I R X R W E E N Z
T B E T S N V D A P B E E G A
I B S T H R E E P O I N T E R
L I S E O O R F U O L Q H M F
L R Z M O E G N F H G T R P E
U D G P T B D G R O T L O Z S
W S K T R E U O Y R I A W A W
```

AIR BALL	FOUL
ATHLETES	FREE THROW
ATTEMPT	HOOP
BACKBOARD	JUMP
BALLS	MISS
BLOCK	OFFENSE
COMPETITIVE	REBOUND
DEFENSE	RUNNING
DRIBBLE	SHOOT
FANS	SLAM DUNK
FITNESS	THREE POINTER

Saints' Names

```
H O A B E S I N R D C R B Y T
G V A L E N T I N E I E E P D
A A G E O R G E T E N V A M C
K U K S Y E N I R E H T A C R
C T G X J H C A D E R P L D S
T G N U O P T I D I E F E J A
H T E W S O C O C E I P M T B
O R M V E T P K M T T Y O G S
M G C D P S I R L I X T R T V
A V E A H I N N A T T I E S V
S I C N A R F N E C A C J S O
E Y I I U H Q X I S Y I E P R
M W L E E C N E R W A L S P U
A L I L M Q B D J T E E O U Y
J N A T S N U D R R S F S P U
```

AUGUSTINE	GEORGE
BENEDICT	JAMES
BERNADETTE	JEROME
CATHERINE	JOSEPH
CECILIA	LAWRENCE
CHRISTOPHER	PATRICK
DANIEL	POLYCARP
DAVID	STEPHEN
DUNSTAN	THOMAS
FELICITY	TIMOTHY
FRANCIS	VALENTINE

The Time Of Your Life

```
A H I L O J B Y S T R E V T S
R S I N C G G D R Z T E Y T X
O U D A R E B Z F T R Q R E E
Y M A T C A A H A A L R Z L J
A M S M K G E R L T E D U M J
Y E V I C N P Y L S M N E O A
L R F N B I T G I Y A O C R H
W E U U Y N I O F D O C A N T
A T V T F E V L E U A E P I K
I N N E N V K O T S F S D N F
H I M E T E R N I T Y S R G R
W W U N M S C O M O N T H C V
B A T N O O N R E T F A T A U
L K U R O U M H T T C E P P A
S L A T E D A C E D E T M X P
```

AFTERNOON	LIFETIME
AUTUMN	MINUTE
CENTURY	MOMENT
CHRONOLOGY	MONTH
DECADE	MORNING
EARLY	OCCASION
ETERNITY	PACE
EVENING	SECOND
FALL	SUMMER
HOUR	WINTER
LATE	YEAR

Types Of Sausage

```
U S R E G N A B C H O R I Z O
A P O T A T O K O R V E Q U Z
S E P E P P E R O N I T A Y Z
A R T Q T O N I H C E T O C U
B R E H O R V C N E N E S U R
L E C I R U A H C E N L D M B
E G N I D D U P K C A L B B A
I E S L E O P R E T S I D E M
K A L L I C R O M S A U A R P
H J L H E E S U O L U O T L E
I D T E H O T D O G S D C A J
U N E T S R U W K C A N K N A
O A T A L O P I H C G A P D G
O L T X T S R U W R E U A B R
A S K C I U W I E N E R S U P
```

ABRUZZO	HOT DOGS
ANDOUILLETTE	KIELBASA
BANGERS	KNACKWURST
BAUERWURST	LANDJAEGER
BLACK PUDDING	MEDISTERPOELSE
CHAURICE	MORCILLA
CHIPOLATA	PEPPERONI
CHORIZO	POTATO KORV
COTECHINO	TOULOUSE
CUMBERLAND	VIENNA SAUSAGE
HERB	WIENERS

Above The Clouds

```
H Y T I V A R G D O X R T R L
W J R H T S H C N N T P E L G
S P E O I T M S I T E N G A M
T S Y T B R S A W J I O D P U
R U A A E O T I R I U U R E U
A R L I T N E R A T Q T O N C
T H E R M A L P L U M E S L A
O Z N B E U O L O R R R S U V
S Q O A S T I A S B E S B B O
P B Z L I R V N Q U D P Y R F
H D O L R T A E A L I A W O P
E M O O N T R A V E L C A C R
R T A O U R T J S N G E V K U
E L S N S V L E D C W T E E P
X A I J Z R U E V E R E S T I
```

AIRPLANE	QUIET
ASTRONAUT	ROCKET
EVEREST	ROSSBY WAVES
GLIDER	SOLAR WIND
GRAVITY	STRATOSPHERE
HOT AIR BALLOON	SUNRISE
MAGNETISM	THERMAL PLUMES
MOON TRAVEL	TIBET
NEPAL	TURBULENCE
OUTER SPACE	ULTRAVIOLET
OZONE LAYER	VACUUM

Burt Bacharach Songs

```
G E P T H C A R A H C A B G R
R E A C H O U T S I N A I P N
A S M B O L B E H T I R T B I
I N H I F V O X S A U V L U G
N U Y C T R W O M A N U M R H
D F W D R S Y B K U E T S T T
R U A M A G I C M O M E N T S
O T L I S Y A H N Y F Q E H H
P U K H T D N B T O Z L S E I
S R O E R H L O B T P J O A F
R E N A I U F R W E A Y J V T
D S B R E F P U I S E O N E E
T U Y I Q R L O L O C D A N I
R P E W D I V A D L A H S L C
R G A R T H U R M C Y J V Y L
```

ALFIE	HEAVENLY
ANY DAY NOW	LOOK OF LOVE
ARTHUR	MAGIC MOMENTS
AT THIS TIME	NIGHT SHIFT
BACHARACH	PIANIST
BLUE ON BLUE	RAINDROPS
BURT	REACH OUT
CLOSE TO YOU	SAN JOSE
FAITHFULLY	THE BLOB
FUTURES	WALK ON BY
HAL DAVID	WOMAN

'K' Words

```
O G A P F Y K N F W S L O U A
H R F R Y R E K C I K T P T T
S E K T T L L O T A M C A P R
U Y T F O R V E D A S Y J S R
T H G I N K I L O B Y T E E W
R K V K K I N D R E D O W T E
Y K I N D E R O X K E P T I J
S P O T K A S C W E N A N K Q
S W I A C I R R X L N C R I R
S D J J T H N E S A E W E N T
T E L G H S E G L K K D O D F
I K A Y A K I N D L I N G N N
I R N F L A E S Y O I E T E K
E P K E P Z Q E P R M K R S S
R R T I U Y E F P A B E F S S
```

KALE	KINDNESS
KAYAK	KINDRED
KEEP	KINGDOM
KELVIN	KIPS
KENNEDY	KITCHEN
KEPT	KITES
KICKER	KNIGHT
KILLER	KNOT
KILOBYTE	KNOWLEDGE
KINDER	KNOWN
KINDLING	KNOWS

Numbers

```
U T B E Q E O F D D F Z E T U
A R W G W A R E G E T N I B R
Y A P L P A E U I R C J Q D D
T S T U C T Z L A D S I S Q A
E H M T H O U S A N D Y M Z P
N O I L L I R T S U J X F A Y
I O L R L M O W H H Z G W S L
N B L O T D G E T G K A R W L
E A I Z G Y K L P T I O A H S
V C O L N O X V L R X E C T P
E S N E L O O E P E F Y E P G
L I V D S I X G Z T I G E S T
E E R H T T O R U O F G V T G
S V S T T W E N T Y T X I S S
U L S A P O S X L L Y X F U E
```

BILLION	MILLION
DECIMAL	NINETY
EIGHT	SEVEN
ELEVEN	SIXTY
FIFTY	THIRTY
FIVE	THOUSAND
FOUR	THREE
FRACTION	TRILLION
GOOGOL	TWELVE
HUNDRED	TWENTY
INTEGER	ZERO

NBA Teams

```
L N M R E H A T L A N T A F B
A S E Q L O D N A L R O J T D
L A M W A T O S E N N I M E K
A L P C J N J O G R E V N E D
K L H L T E R T O R W F P F O
E A I E J M R U L S Y O M S G
R D S V E A R S D M O T I R A
S N A E L R O W E N R P A E C
O A V L P C M M N Y K T M P I
K L I A H A I R S U F E I P H
B T D N O S U A T L A N T I C
A R F D E M S E A T T L E L A
S O O K N H D E T R O I T C O
O P P H I L A D E L P H I A X
S L M E X Y E L V P I T S L K
```

ATLANTA	MIAMI
ATLANTIC	MINNESOTA
CHICAGO	NEW JERSEY
CLEVELAND	NEW ORLEANS
DALLAS	NEW YORK
DENVER	ORLANDO
DETROIT	PHILADELPHIA
GOLDEN STATE	PHOENIX
LA CLIPPERS	PORTLAND
LA LAKERS	SACRAMENTO
MEMPHIS	SEATTLE

Furniture

```
G R C R P D C U R T A I N S O
E R U T C I P W I C B M T K S
S T S K C A R T A O C J D C X
A I H F A E W L H U Y I E O S
C N I O R B O O C T N T B L H
K U O O P O R U G I S P G C K
O E N T E R K N N O J M N G D
O G S S T D S G I A N A I N S
B A O T S R T E N K R L K I R
Y R F O H A A R I C O E S M E
N O A O B W T V L H R L E I W
P T B L H V I W C E R B D H A
J S E G N U O L E S I A H C R
R L D A S E N O R T M T W R D
L U M M Z J M K P B F X K U T
```

BOOKCASE	KING BED
CARPETS	LOUNGER
CHAISE LOUNGES	MIRROR
CHIMING CLOCK	OAK CHEST
COAT RACK	PICTURE
CURTAINS	RECLINING CHAIR
CUSHIONS	SOFA BED
DESK	STORAGE UNIT
DINING TABLE	TABLE LAMP
DRAWERS	WARDROBE
FOOTSTOOL	WORKSTATION

Playing Poker

```
D B R E V I R T B U H P F S P
O P I R S O Q I I L S T A O U
C D A R N F Y M G F U P F W J
A H P U R F P I B D L I I U K
T A E S U O H L L U F O O A A
V W N C T Y C O I D L R P T J
T C O O K A R N N R A I S E O
R A D P R P B I D A Y L T S U
T D R I A P T E K C O P H R W
S B E T T I N G F H R R A R W
U R U N N E R V E G E U P Q Z
T H G I A R T S N I L L A I U
S I N U T F L U S H A X L E S
X U H N W Q N O A Z E L X S S
L L G V H Z Z L N S D L O F Z
```

ALL-IN	ONE PAIR
BETTING	PAY OFF
BIG BLIND	POCKET PAIR
CHECK	POT ODDS
DEALER	RAISE
FLOP	RIVER
FOLD	ROYAL FLUSH
FULL HOUSE	RUNNER
HIGH CARD	STRAIGHT
NO LIMIT	TURN
NUT FLUSH	TWO PAIRS

Jazz Music

```
G F H W E I G O O B I H P R H
B U B N E W O R L E A N S O L
K L L A H E I G E N R A C N S
N D U K E E L L I N G T O N I
O B E B O P M H T Y H R T I W
M Z S K R D M I B G R O T E E
I C E M I T G A R O I L J S L
S Y N C O P A T I O N Y O C X
A D I X I E L A N D Z A P O U
N Y E S R O D Y M M O T L T L
I W C A R M I C H A E L I T Y
N T S A X O P H O N E I N S U
T R U M P E T D F J O C W T L
D R E N I A T R E T N E O A D
U U W E S T C O A S T C A O T
```

BEBOP

BENNY GOODMAN

BLUES

BOOGIE

CARMICHAEL

CARNEGIE HALL

CECIL TAYLOR

DIXIELAND

DUKE ELLINGTON

ENTERTAINER

LUX LEWIS

NEW ORLEANS

NINA SIMON

RAGTIME

RHYTHM

RONNIE SCOTTS

SAXOPHONE

SCOTT JOPLIN

SYNCOPATION

TOMMY DORSEY

TRUMPET

WEST COAST

Pacific Hurricane Names

```
S R Z E L Q N T V O W A S O U
S M I L T L R T S S V I O A S
W X H D R O E O R E O L D G P
O M F E S U F M Z P S V T D L
M D A A C R C R I N P M A U R
V I Z E M T I S J L A N E R O
H G M R S L O E R M I C Z P R
P X E T A P I R U E A A V B S
D T I A L Y T G L R I I A H O
B E Y L E G M I L A C V R N O
P S T U T T F O P E L I A I R
Y M S Z T X T A N A E L I X M
D N I A A T I T B D U O I P O
N O R M A N E T P I C L W W C
Y A K P M P E S N H O J V S F
```

ALETTA	**MIRIAM**
CARLOTTA	**NORMAN**
DANIEL	**OLIVIA**
EMILIA	**PAUL**
FABIO	**RAYMOND**
GILMA	**ROSA**
HECTOR	**SERGIO**
ILEANA	**TARA**
JOHN	**VICENTE**
KRISTY	**WILLA**
LANE	**XAVIER**

Computer Games

```
J T T E K K E N A M C A P H T
G O T H A M R A C I N G I D E
S M S M U R E D I A R B M O T
U O R T W L C L T Y F G G N R
P R E D I O C E R C I R N K I
E T D E I S O Z R N N A I E S
R A A A S T S F A A A N S Y O
M L V D P P T O W M L T I K N
A K N O O L S D F A F U R O I
R O I R R A W N O G A R D N C
I M E A T N Z E S E N I A G D
O B C L S E U G R M T S E R L
T A A I S T S E A O A M D G U
J T P V J I A L E U S O L A G
O E S E B H R A G F Y A O R Z
```

DEAD OR ALIVE

DEAD RISING

DONKEY KONG

DRAGON WARRIOR

FINAL FANTASY

GALO

GEARS OF WAR

GOTHAM RACING

GRAN TURISMO

LEGEND OF ZELDA

LOST PLANET

MEGA MAN

MORTAL KOMBAT

PAC-MAN

SOCCER

SONIC

SPACE INVADERS

SUPER MARIO

TEKKEN

TETRIS

TOMB RAIDER

WII SPORTS

At The Movies

```
K M T T K Y B L G R E Y W K X
G H S R S C L L C B S R A T S
F S E Y U A O P E H O R R O R
O U S E R E C D L N L C R U O
B S S I T C K R E L L I R H T
E P E E R N B I B E P S N A C
C E R E B A U N R O C P O P A
I N T T Q M S K I D C Z I S R
F S C I K O T S T L O S T E R
F E A T U R E F I L M P C I A
O S T A G E R U E O E T A T H
X I R N E E R C S R D M S B B
O F R I E N D S W H Y L P R O
B T S C I T I R C I E D C E U
A S T U S T T C A M A R D W P
```

ACTION	FRIENDS
ACTORS	HORROR
ACTRESSES	POPCORN
BLOCKBUSTER	ROMANCE
BOX OFFICE	SCREEN
CELEBRITIES	STAGE
COMEDY	STARS
CRITICS	SUSPENSE
DRAMA	THRILLER
DRINKS	TITANIC
FEATURE FILM	USHER

Sinclair Lewis

```
L M I N N E S O T A Y M B R K
G S F H O B P A R T N A M Y L
T S I D N E Y H O W A R D B L
H E L O A T E E R T S N I A M
E Y R R A H T R O W S D O D O
I G R A C E H E G G E R X F E
N B N G E L M E R G A N T R Y
N A H T I M S W O R R A L E L
O B I S R E K C I V N N A E M
C B A O U R M R W R E N N A I
E I R I A R P R E H P O G I C
N T I E Z I R P L E B O N R H
T T P G O D S E E K E R W L A
S H S I N A L P N O E D I G E
A P E L A Y T S I L E V O N L
```

ANN VICKERS	HARRY
ARROWSMITH	MAIN STREET
BABBITT	MANTRAP
BETHEL MERRIDAY	MICHAEL
DODSWORTH	MINNESOTA
ELMER GANTRY	NOBEL PRIZE
FREE AIR	NOVELIST
GIDEON PLANISH	OUR MR WRENN
GOD SEEKER	SIDNEY HOWARD
GOPHER PRAIRIE	THE INNOCENTS
GRACE HEGGER	YALE

'C'ing Double

```
F S R Z S V B T J K G S Q L E
P T E O Y A T K C O L C I P V
S U O I C A P A C N T A R F T
C A L C I U M S D H B P D T N
E E C N A C R E K C A R C V A
B C A I O L C A L O R I F I C
T R N R E T C A R A H C S A A
P N D E K K E U C E W O N C L
M E L E D K C H L K M R I I L
R U E L P I A A C A L N P R I
U S S C H O C O L A T E K C D
Q O T T L E C N A C C E S L A
M A I A E T A C I F I T R E C
R A C E L B A C N O O T U E V
V T K T R A C I B U C F E S X
```

CABLE-CAR	CANDLESTICK
CACHE	CAPACIOUS
CACKLE	CAPRICORN
CACTUS	CERTIFICATE
CADILLAC	CHARACTER
CALCITE	CHOCOLATE
CALCIUM	CIRCLE
CALCULATE	CLOCK
CALORIFIC	COINCIDENCE
CAMCORDER	CRACKER
CANCEL	CUBIC

Popular Authors

```
D A N B R O W N C L L E W O L
T E K U E Y U E A Z K L T J H
E Z N R L P J R U E C P O A T
G H H R L R T E O E E L L C A
R E A O I T R H R L B Y K K L
E L W U M L U T E R N A I L P
B L T G R J M A K E I W E O A
S E H H U K A C K P E G N N I
N R O S H R N A C R T N A D V
I C R T T O C L A A S I U O L
G Y N S R W A L J H S M E N Y
A O E O A L P I U N S E X T S
Y J E R S I O W I R K H P B O
U O G F G N T N O T R A H W O
M X A S I G E Z R A P O U N D
```

ANAIS NIN	J K ROWLING
ARTHUR MILLER	JACK KEROUAC
BURROUGHS	JACK LONDON
DAN BROWN	LOUISA ALCOTT
EZRA POUND	LOWELL
FROST	STEINBECK
GINSBERG	SYLVIA PLATH
HARPER LEE	TOLKIEN
HAWTHORNE	TRUMAN CAPOTE
HELLER	WHARTON
HEMINGWAY	WILLA CATHER

World Of Musicals

```
C K X S H V L P Z I E I T I O
O R J Y B I L L Y E L L I O T
M A R A C M G T Z U A A P E E
P Y O G A C I H C S S L J E R
A Z Q M R K U A S H P A U L A
N A R D R I T A S O E D B C B
Y R A E I S G G E W C D I A A
A C I Z E S C R H B T I L P C
W L R S G M A A C O S N E I A
D R U O Y E R W U A O E E T T
A I D A P K Y P L T F G A A Y
O G U Y S A N D D O L L S N W
R U I S Y T B P J P O W S G A
B A N J O E Y E S E V I T A P
T P Q Q C A R O U S E L I Z P
```

AIDA	**CHICAGO**
ALADDIN	**COMPANY**
ASPECTS OF LOVE	**EL CAPITAN**
BANJO EYES	**EVITA**
BILLY ELLIOT	**GIRL CRAZY**
BROADWAY	**GUYS AND DOLLS**
CABARET	**GYPSY**
CAROUSEL	**HIGH SOCIETY**
CARRIE	**JUBILEE**
CATS	**KISS ME KATE**
CHESS	**SHOW BOAT**

Tools Of The Trade

```
S G S R O S S I C S R E I L P
P R T H I F U V Y U P R Y O R
N Y J W L V A X Y C S A K R K
R Q Y P I P E T H R E A D E R
W A S D N A B R E T U O R E E
A R E D N I R G T D L M O T T
J T P L A N E W R E N C H B T
N E L E C T R I C D R I L L U
U Z P U D B S U K C A J R A C
G R E V I R D W E R C S U S E
Y R E T T U C S S A R G L T G
A U R Z Y S K Z R L A T H E D
R E M M A H E G D E L S K R E
P T W I R E S T R I P P E R H
S G R E H S I L O P S X P H I
```

BANDSAW

BLASTER

CAR JACK

ELECTRIC DRILL

GRASS CUTTER

GRINDER

HEDGE CUTTER

LATHE

PAINT BRUSHES

PIPE THREADER

PLANE

PLIERS

POLISHER

RIVERTER

ROUTER

SCISSORS

SCREWDRIVER

SLEDGEHAMMER

SPADE

SPRAY GUN

WIRE STRIPPER

WRENCH

Anyone For Tennis

```
C S S R A C K E T E C U E D P
A Z R O N Z T V N B T C R R A
L O V E A L L U E I O M I Y Q
S T E N V S O I M L C A P E V
A P T O R R W I A L L L M L O
R W O D A E M G N I H S U L F
S B G E T V A H R E K D E O T
R F R L I A W A U J C N R W R
T E O B L L S W O E I A T B A
B D B M O D S K T A D R R A M
E E N I V O D E L N D G U L L
T R R W A R A Y X K O P O L I
Q E O T R E V E S I R H C R N
T R J O H N M C E N R O E T E
R W B R O L A N D G A R R O S
```

BILLIE JEAN KING	NAVRATILOVA
BJORN BORG	NETS
CHRIS EVERT	RACKET
COURT	ROD LAVER
DEUCE	RODDICK
FEDERER	ROLAND GARROS
FLUSHING MEADOW	TOURNAMENT
GRAND SLAM	TRAMLINES
HAWKEYE	UMPIRE
JOHN MCENROE	WIMBLEDON
LOVE ALL	YELLOW BALL

On A Diet

```
P B S I N C H E S I C R E X E
G E N I L T S I A W I N T N F
C A R D I O V A S C U L A R N
A E A S K R R G S Q W E R L U
L R J C P H N R I A E D D A P
O O O O B I U T L Z I T Y N G
R B G M M N R K R S G X H A N
I I G M N P I A C P H T O S I
E C I I G N O I T B T R B U S
S L N T G N P U L I L A R A O
S G G M E L I X N P O I A M L
G A X E I S L N M D S N C S C
T A S N E A K E R S S E W R R
D I E T I N G R S U R R O H R
T E R K D P A O G U B R L L U
```

AEROBIC	LOW CARBOHYDRATE
BURNING	PERSPIRATION
CALORIES	PLAN
CARDIOVASCULAR	POUNDS
COMMITMENT	RUNNING
DIETING	SLIMMING
DISCIPLINE	SNEAKERS
EXERCISE	TRAINER
INCHES	WAISTLINE
JOGGING	WALKING
LOSING	WEIGHT LOSS

Madonna

```
D Y T H T F M P A P S T P T T
R A T S Y K C U L V R L T D U
E D P I N L R G R N P R A S S
D I U R T A E N I S A H L D L
N L U E S I V U G N I Z A M A
E O O H T S O H L R G F Z I E
T H Y C M L D E A C L L E T L
E A S U A A N N I T R E H H D
R D S I D B A O R X V V G I P
P I E V O O R G E H T O T N I
C E R F N N E V T E S G Q K A
R A D E N I V Y A T S U T O L
T Q R R A T O E M S L E P F T
Z J N B R A R R E S C U E M E
E O Q J U M P A R A D I S E S
```

AMAZING

ANGEL

CHERISH

DRESS YOU UP

GONE

HOLIDAY

HUNG UP

INTO THE GROOVE

JUMP

LA ISLA BONITA

LUCKY STAR

MADONNA

MATERIAL GIRL

MUSIC

OVER AND OVER

PARADISE

PRETENDER

PUSH

RESCUE ME

STAY

THINK OF ME

VOGUE

Religions And Beliefs

```
X E T Y Q H I N D U I S M B M
Q K R S P I R I T I S M H F S
J U C H E B U D D H I S M N I
R A S T A F A R I A N I S M N
N I Y S R E K A U Q O N Y S I
B T S T X V D T F E T A G I A
R H G T I A D O A C N I O A J
O Y K I R N E T E A I R L H K
N A C I L G N A S Y H T O A S
T N A T S E T O R P S S T B I
O R O C I L O H T A C A N A K
P G I M S I N A G A P O E N H
L A T S O C E T N E P R I L I
U H M S I A D U J D D O C M S
K E T M A L S I I C E Z S Y M
```

ANGLICAN	NEO-PAGANISM
BAHA'ISM	PENTECOSTAL
BUDDHISM	PROTESTANT
CAO DAI	QUAKERS
CATHOLIC	RASTAFARIANISM
EVANGELICAL	SCIENTOLOGY
HINDUISM	SHINTO
ISLAM	SIKHISM
JAINISM	SPIRITISM
JUCHE	TENRIKYO
JUDAISM	ZOROASTRIANISM

Spiders

```
R C R A B S P I D E R A D V V
C D E G G E L T H G I E E L R
L I D A L U T N A R A T T C T
A N I R B L A C K W I D O W H
G H P D E W D R O P R M O Q O
N C S E O C I L A C M J F M U
I A P N Z P F I Q O P U B X S
V R S S D S Y T N E P M M N E
A A A P P O M O N E V P O Y S
E L W I B E R U S V S I C L P
W S D D M B K L I S I N Y N I
B E F E A T H E R L E G G E D
R U B R O W N W I D O W T E E
O E P S G G E J D T Y R V R R
L E V F K I N O L T F B C G E
```

ARACHNID	GARDEN SPIDER
BLACK WIDOW	GREEN LYNX
BROWN WIDOW	HOUSE SPIDER
CALICO	JUMPING
COMB-FOOTED	ORB WEAVING
COMMON ORB	SILK
CRAB SPIDER	TARANTULA
DEW-DROP	VENOM
EGGS	WASP SPIDER
EIGHT LEGGED	WEBS
FEATHER-LEGGED	WOLF SPIDER

Athletics

```
E T R I P L E J U M P P N P I
C Y O N T E S N E T D O N O U
V I A O S Z N O C S E L P F A
P U D L T X I T N R C E M H Z
M D R H E C L A A H A V U U S
U U U T E R E B T T A J R M
J A N A P I V R S C H U G D T
H U N T L T A R I H L L N L S
G S I P E Z J Q D S O T O I P
I W N E C A K R E M N T L N R
H I G H H U R D L E S W P G I
V E C N A T S I D G N O L U N
U P D I S C U S D L L O T S T
H A M M E R S C I P M Y L O S
R N O H T A R A M O T T O P R
```

BATON	MARATHON
DECATHLON	MIDDLE DISTANCE
DISCUS	OLYMPICS
HAMMER	PENTATHLON
HEPTATHLON	POLE VAULT
HIGH HURDLES	RELAY
HIGH JUMP	ROAD RUNNING
HURDLING	SHOT PUT
JAVELIN	SPRINTS
LONG DISTANCE	STEEPLECHASE
LONG JUMP	TRIPLE JUMP

Native American Tribes

```
Y A R A P A H O S D O P E C A
W P I L A L U T T T L R A N K
T O Y E K I A L E G E E E K D
A E R H V B L I K A N E B A E
E E H C A L A P A S N Z S I P
V K A A Q A P P S I E I I B A
A O B P U C A J M R Y N R A G
J R W A Z K I O R G E I E B O
O E A D T F N A Z D H O R C J
M H T R P E S R P R C J R B A
R C A U M E P W M A K A H S G
F T C R H T K I S E V V Q Q C
E U U I S S P E T U I A P U T
M U E L P E O R I A N N Y J T
Z E Q V S E O G T R R U F J W
```

ABENAKI	KAIBAB
APACHE	KIALEGEE
APALACHEE	MAKAH
ARAPAHO	MENOMINEE
BLACKFEET	MOJAVE
CATAWBA	NAVAJO
CHEROKEE	PAIUTE
CHEYENNE	PEORIA
CROW	SENECA
GOSHUTE	TULALIP
HUALAPAI	YAVAPAI

American Universities

```
E B T M I N N E S O T A A M N
P O M I C H I G A N L P E O M
E H R M E R O P N O I A I G S
N I D P C B F P O T B I P A A
N O R T H W E S T E R N C C O
S S A R N I T S G C E R C I Q
T T V R W V B F N N D O E H U
A A R V O U H F I I N F M C I
T T A V R Q C N H R A I O K J
E E H G B O G F S P V L R C D
A L H S R I C E A A U A Y L T
N I S N O C S I W M V C A I S
A O E U D R U P B Y A E L V B
Q L U L V L O I A S Q A E Y P
L E P U S T A N F O R D U K E
```

BROWN	OHIO STATE
CALIFORNIA	PENN STATE
CHICAGO	PITTSBURGH
COLUMBIA	PRINCETON
CORNELL	PURDUE
DUKE	RICE
EMORY	STANFORD
HARVARD	VANDERBILT
MICHIGAN	WASHINGTON
MINNESOTA	WISCONSIN
NORTHWESTERN	YALE

All Shapes And Sizes

```
M E R X E O R H E X A G O N S
S S H A E R A U Q S I H L R A
D N O M A I D P U G D K T Z R
D I M A R Y P R A O P W N O N
S R B R I V F N D A H D M V H
E Q U I L A T E R A L I N K O
L T S S C I C A I D N O O B O
E C P E C A L J L I P Z I H V
C R L B G L U B A O W E S S B
S Y A O E I T T B R P N X M
O S N L S H U T E U T A E O E
S T E B S R H E R C I R M A C
I A A H E L G N A I R T I A U
J L X I L E H E L B U O D R Y
E P G R S D I O L C Y C E A E
```

CONE   ISOSCELES

CRYSTAL   MINIATURE

CUBOID   PARALLEL

CYCLOID   PLANE

DIAMOND   PYRAMID

DIMENSION   QUADRILATERAL

DODECAGON   RHOMBUS

DOUBLE HELIX   SQUARE

EQUILATERAL   SURFACE

GIGANTIC   TRAPEZOID

HEXAGON   TRIANGLE

American Water Birds

```
G Z H S E A D D Q R W E I X A
T O O C K R O T S D O O W W T
N L D G R E A T E G R E T K R
A I U W R H E R M R A M L U F
S Z V Y I C R E P I P D N A S
A S I B I T E L R A C S O T I
F G S H E A R W A T E R R A U
L P E L I C A N A O G U E E T
A E L I A R W O L L E Y H R E
M T U F T E D P U F F I N G C
I R L I T T L E G U L L E U O
N E I T E S K N A H S D E R V
G L W T U Y E B I T T E R N A
O C O R M O R A N T E V G J Y
M S R A Z O R B I L L E X Y D
```

AVOCET	OYSTERCATCHER
BITTERN	PELICAN
COOT	PETREL
CORMORANT	RAZORBILL
FLAMINGO	REDSHANK
FULMAR	SANDPIPER
GODWIT	SCARLET IBIS
GREAT AUK	SHEARWATER
GREAT EGRET	TUFTED PUFFIN
GREEN HERON	WOOD STORK
LITTLE GULL	YELLOW RAIL

Seeds

```
W R I C E Y S T L X W B O A O
N A S E X V B J P T R M P H U
A B E T A N A R G E M O P Y E
I A V A F C R R E L M C U T P
V L Z J F E N N E L H S M I P
K A J A C K F R U I T K P S T
N M C J N I M U C M U C K U K
L N U T M E G K Z L L O I N E
S A B H U A P O D R O C N F H
S S A R G E Y R R A P H R L S
W A R U A R S N A E B A Y O S
E H L S S M O U T P A E R W F
U U E O U O Q S S L I T N E L
R R Y A F L S J U N I P E R V
A Q V E T C H T M W I I J P W
```

BARLEY

CHICKPEAS

COCKSCOMB

CUMIN

FAVA

FENNEL

JACKFRUIT

JUNIPER

LENTILS

MALABAR

MUSTARD

NUTMEG

PEARL MILLET

POMEGRANATE

PUMPKIN

RICE

RYEGRASS

SORGHUM

SOYABEANS

SUNFLOWER

VETCH

WHEAT

US Airlines

```
A L O H A T L E D L K S I S R
N O Z I R O H A W A I I A N B
M A R I A M O C P D A D M U L
U E T C D F S O R N E P E F I
T C S A I I S N E V I T R L A
S S E R P X E T S E W D I M R
E Y W I I L R I I C G I C N P
W A H B S S P N D N U F A Y U
H W T B L K X E E A D R N N M
T R R E A U E N N D P O W A O
U I O A N L X T T N P N E K D
O A N N D K E A I U A T S S E
S S O S M I D L A S E I T A E
I U K U S F E U L B T E J L R
P A Z N R A F N A R T R I A F
```

AIRTRAN

ALASKAN

ALOHA

AMERICAN WEST

CARIBBEAN SUN

COMAIR

CONTINENTAL

DELTA

FEDEX EXPRESS

FREEDOM

FRONTIER

HAWAIIAN

HORIZON

ISLAND

JET BLUE

MIDWEST EXPRESS

NORTHWEST

PRESIDENTIAL

SOUTHWEST

SUNDANCE

UNITED

US AIRWAYS

Great Inventions

```
A S I U P Y T E L C Y C I B N
U P O O F L U S H T O I L E T
T A A S S M E N O H P L L E C
O C B B F T F A R C R E V O H
M E C H A N I C A L C L O C K
O C A N T I B I O T I C S S S
B R V U Y H P A R G O L O H I
I A P R I N T I N G P R E S S
L F W C A L C U L A T O R U E
E T I N I L L I C I N E P F Y
E R N O I T A Z I N U M M I E
H L S G O A I R C R A F T R S
W B H K T E L E P H O N E E T
J T E L E V I S I O N D P G A
C A M E R A L R E T U P M O C
```

AIRCRAFT   FLUSH TOILET

ANTIBIOTICS   HOLOGRAPHY

AUTOMOBILE   HOVERCRAFT

BICYCLE   IMMUNIZATION

CALCULATOR   MECHANICAL CLOCK

CAMERA   PENICILLIN

CATS-EYES   PRINTING PRESS

CELL PHONE   SPACECRAFT

COMPUTER   TELEPHONE

ELECTRIC LIGHT   TELEVISION

FIRE   WHEEL

Ice Cream Flavors

```
B M I N T C H O C O L A T E U
A O X I S M R V J C H E R R Y
N V I S T O A A E T G S E I T
A N J I R F S F L S U D S O N
N O M A A E P O E M O Y F P A
A M O R W G B E M Y D F O R C
V E Z D B D E E A U E Q L A E
O L U N E U R M R E I Z V L P
L F V A R F R I A R K R R I B
E F A M R R Y L C A O P H N R
S U N U Y S E E F F O C G E D
T R I R S P I S T A C H I O O
O T L T T U N O C O C B N R A
S A L M W S M R H G A A A P G
G W A L N U T C Q I P R L T E
```

BANANA	PECAN
CARAMEL	PISTACHIO
CHERRY	PRALINE
CHOC CHIP	RASPBERRY
COCONUT	RUM AND RAISIN
COFFEE	STRAWBERRY
COOKIE DOUGH	SUMMER FRUITS
FUDGE	TOFFEE
LEMON	TRUFFLE
LIME	VANILLA
MINT CHOCOLATE	WALNUT

'Out' Of Order

```
R K C P G O R S R M K Q P T L
R B A L A N C E E M I P P A E
E A S E C R I E S E M O C R P
W C T J R D E T A D T V L X B
O K S T R B P B H I G A J J M
U S E D Q D E T Y G S I S U P
A S E F S R E D L E I F D R U
E U T B B L O O M D Z F E S R
X U R F R O O Z E O R L G B P
S W L P R C C E E I B O A R D
T C R S B A G N I N N U R U G
W Q L G I S W Q A G H R A X R
I U Z A D A O I T N E I T A P
R V R A S T Z U T A E S U O H
I P B U R S T R E T C H E D P
```

BACK	DATED
BALANCE	DOING
BIDS	DOORS
BLOOM	FIELDER
BOARD	FIGHTING
BREAK	FLOURISH
BURST	HOUSE
CASTS	PATIENT
CLASS	RAGED
COMES	RUNNING
CRIES	STRETCHED

US Presidents

```
L R C S M L U Y E R K A T Z K
P M C K I N L E Y J D K A Y T
K J T L L U Y O B O S Z F H A
E C E W E I S E N H O W E R F
N O P J N V S I O N A M U R T
R O O S E V E L T S I L B B L
E L S S R T S L C O S E L P F
A I R L G V S I A N F B Q I E
G D O E I D G L I N C O L N H
A G L L O W R U B F D L F O A
N E Y U S L A A D A M S O T X
I W A S H I N G T O N V R N T
X T T C A R T E R I E T D I U
O U Y D E N N E K R Z P P L U
N E A B F I M F E T L W D C M
```

ADAMS	LINCOLN
CARTER	MCKINLEY
CLEVELAND	NIXON
CLINTON	REAGAN
COOLIDGE	ROOSEVELT
EISENHOWER	TAFT
FILLMORE	TAYLOR
FORD	TRUMAN
HOOVER	ULYSSES S GRANT
JOHNSON	WASHINGTON
KENNEDY	WILSON

Texas Tour

```
A B W H W R I O G R A N D E R
P A R I S A L A D O S A P L E
T O U N C E R T A I N I T L O
F A N S L L A F A T I H C I W
R U J G T L H O U S T O N V R
C S B R D A R T S I M A R N P
J T G F O R T W O R T H T O F
M I I O G A T E L H N L P S E
A N O R A D I P E C L E A K Y
H K S T B O T L G S S A Y C Q
A S A D I J X A N U O P T A P
R L L A L P Z N A P I B O J T
G A L V E S T O N R O M I S W
V K A I N C E T A O R S D B K
Q E D S E M X T S C G Q D L L
```

ABILENE	**INKS LAKE**
AMISTRAD	**JACKSONVILLE**
AUSTIN	**LARADO**
CORPUS CHRISTI	**LEAKY**
DALLAS	**PARIS**
EL PASO	**PLANO**
FORT DAVIS	**RIO GRANDE**
FORT WORTH	**SALADO**
GALVESTON	**SAN ANGELO**
GRAHAM	**UNCERTAIN**
HOUSTON	**WICHITA FALLS**

At The Library

```
A M S I L E N C E S Y I L B H
F U T C D F C S T P L N O Q U
I S F I E A Y N E G W T H Z O
I I Y R A L E Q E V N E A M A
H C R A E S E R U I L R A E L
U M A G A Z I N E I C E A E F
N K N O W L E D G E E S H E R
C O O O V M O A Y D U T S S L
G N I W O R R O B R J C F R R
I A T T C O M P U T E R K P P
P F C N A I R A R B I L E T I
B A I P R C S T P E U O W S X
P B D A T E U P T S P E Z L U
G E C S H A J D S L I I Y M S
N O I T C I F L E H S K O O B
```

BOOKSHELF

BORROWING

COMPUTER

DICTIONARY

EDUCATION

FICTION

INTEREST

KNOWLEDGE

LEARN

LIBRARIAN

MAGAZINE

MAPS

MUSIC

PEOPLE

QUIET

READ

RESEARCH

SCIENCE

SHELVES

SILENCE

STUDY

THESAURUS

Yoga

```
R S Z J N P Y R T U B Y E W O
F L T Q Q T O N E L E G G E D
M O B S T R G N E D U C L S N
V M O U N T A I N E Z P E O G
T O U T O R W T K B B L R P C
V N N O C J Q C O M N Z E F L
F K D L N N R T T I O I K F K
E E A E S O P S D L I H C A X
O Y N L W O R N A R T T O T L
W I G G E M A E E U A T C S Z
O L L N S F S E H O T A P A U
A E E A E L V E L F U P L R R
I G E I F A R H C G L P O B T
T L H R I H X W E C A F W O C
O U W T A I D L J Q S E Y C T
```

BOUND ANGLE

CHILD'S POSE

COBRA

COCKEREL

COW FACE

CRANE

CROW

EAGLE

FOUR-LIMBED

HALF MOON

HEAD-TO-KNEE

HERON

LOTUS

MONKEY

MOUNTAIN

ONE-LEGGED

PLOW

SALUTATION

STAFF POSE

TRIANGLE

WHEEL

YOGA

Horse Riding

```
L T J B T E U P A D D O C K X
L T C S G N I D L E G U P V G
R H G N I R E T N A C E A L H
T X R P J R O J X D L Z T T P
T P U L L E D U P H H A C S N
M S C P O N Y P S E V O O H W
W L T U O N E T T A L F R H E
M L C N C U A A S T C F I S S
F A G N I R E D A R A P S X E
J T R D T T Y E K C O J L E T
R S R E K N I L B K F L F B R
R O R G N O L R U F Y F O K C
I P N T T R N X C R S U M C Y
R S T U R F C O U R S E P P F
O X K N O E E V Q E I R M R R
```

BLINKERS	**JOCKEY**
CANTERING	**MARE**
COLORS	**PADDOCK**
COLT	**PARADE RING**
DEAD HEAT	**PONY**
FLATTEN OUT	**POST**
FRONT RUNNER	**PULLED UP**
FURLONG	**STALLS**
GELDING	**STARTER**
HOOVES	**TURF COURSE**
HORSE	**WHIP**

Refreshing Drinks

```
Y S N E D A N O M E L S I H C
P H C L P R E R S M T F C H B
N E H A W H I T E W I N E P U
A R A R P Q L A I Z U R D J T
Z R M E U P T G Z P R B T T S
G Y P G U I X Y S Y I S E R P
R N A N J N W J A T O T A E R
K A G I N A N D T O N I C D I
A U N G T C E E I R H L R W T
J I E E O O R X L V P L F I Z
K M R F Y L P R O S E W I N E
U R F G E A Y D P C H A S E R
U E E M N D K M O T S T A E H
E X O E D A L D L O C E C I F
L N X P A T S O F T D R I N K
```

BITTER LEMON

CHAMPAGNE

CHASER

CHERRYADE

COFFEE

FIZZY WATER

GIN AND TONIC

GINGER ALE

ICE COLD

ICED TEA

LEMONADE

PINA COLADA

PUNCH

RED WINE

ROSE WINE

SANGRIA

SHERRY

SOFT DRINK

SPRITZER

STILL WATER

VODKA

WHITE WINE

Body And Soul

```
R U A Q I T U R B E T W T T M
A K F Y N T F R M S E F Y H L
B X T O E S A I T F M Y P U G
J A T A O I C O N D P A L M S
R W R V N A E E R G L R K B M
V S I C Q W C W C H E E K S R
O S S S P K I W N U T R J D A
R L L D E I Q P O B K R S N T
M R K P F A T A H B O K C A B
K O B N W W S J C S L N S H R
I G O L A K U R A H T E E T Q
F I H L O I A T H R U E L S P
P Y Z S G R K J A G L M K A Y
Q O P T F S W R I S T S N S A
F A Z Q S E S G R Z J R A V L
```

ANKLES	HANDS
ARMS	HEELS
BACK	NECK
BONES	PALMS
BRAIN	TEETH
CHEEKS	TEMPLE
EARS	THROAT
ELBOW	THUMBS
FACE	TOES
FINGERS	WAIST
HAIR	WRIST

Careers

```
M R E C N A D Q O X G M V A W
P U E R O T C O D M C M U A Y
H B S H E G D U J A L R K O B
U S A I C Y O T S I T R A M U
T E S W C A W N T N R C R N B
A C R E T I E A O A E O L T A
P R E S C P A T L I N A T O E
B E P R E O R N I R G C T C I
L T O U T M N U P A I H S B A
P A R N I R T O P R S Z I R Y
Y R T U H U S C M B E O M E T
R Y E K C O J C S I D X E M E
I T R W R T S A D L S N H R I
C O Q P A T N Y R A U T C A T
L O I M A M E E Q R S G R F R
```

ACCOUNTANT	ECONOMIST
ACTOR	FARMER
ACTUARY	JUDGE
ARCHITECT	LAWYER
ARTIST	LIBRARIAN
CHEMIST	MUSICIAN
COACH	NURSE
DANCER	PILOT
DESIGNER	REPORTER
DISC JOCKEY	SECRETARY
DOCTOR	TEACHER

John Updike

```
T O P R I Z E S O R E T I R W
R A L R E T O X I U Q N O D E
I S C A R L E T L E T T E R L
S M L B C O U P L E S U A A X
O R N B N O T G N I L L I H S
P A N I A R E K R O Y W E N A
P F B T E S R I H A R V A R D
T Y A A I N A V L Y S N N E P
H E N R Y B E C H O Y E R B I
E L M O R T S G N A Y R R A H
C R Z T X R U A T N E C E H T
O E C A F Y M K E E S N L T S
U V I L L A G E S R E W E R B
P E S E I R O T S U E S O A V
Z B Y J O L I N G E R P Y M T
```

BEVERLEY FARMS	PENNSYLVANIA
BREWER	PRIZES
COUPLES	RABBIT
DON QUIXOTE	SCARLET LETTER
HARRY ANGSTROM	SEEK MY FACE
HARVARD	SHILLINGTON
HENRY BECH	STORIES
HOYER	THE CENTAUR
MARTHA BERNHARD	THE COUP
NEW YORKER	VILLAGES
OLINGER	WRITER

Harper Lee

```
T J A A H P O E T R A E D R A
I N F A M O U S C O U T I F J
N O A T T O C N I P P I L J A
F V Y R E M O G T N O M L F E
I E Z I R P R E Z T I L U P T
H L H C N I F S U C I T T A O
U I E Q I B P U H B P S K X P
N S E L E G N A S O L K F O A
T T E M A D E R T O N O L A C
I W R E L L I V E O R N O M I
N F D G B A G N O D U A M A T
G P D R I B G N I K C O M B K
D H O R T O N F O O T E S A C
O W F E A F U X U Y N E L L E
N E W Y O R K E U F A U L A P
```

ALABAMA	MOCKINGBIRD
ATTICUS FINCH	MONROEVILLE
CAPOTE	MONTGOMERY
DILL	NELLE
EUFAULA	NEW YORK
HORTON FOOTE	NOTRE DAME
HUNTINGDON	NOVELIST
INFAMOUS	OXFORD
LIPPINCOTT	PECK
LOS ANGELES	PULITZER PRIZE
MICHAEL BROWN	SCOUT

Civilizations

```
P E P B J L P E R S I A N B R
N I A V C E T O P A Z J A E K
A L Z K O R E A N C H I M U R
Y E T S U D N I K N A W O O T
A W E S N T O R A I Z R R R A
M Y C E N A E R L I T O U V Q
I A I M A T O P O S E M T P M
N I C S O S S T I G T A P Y A
A T P S N J G F Y S S T A V T
E J L R I V S P R U H X S E I
G I I H M U T E C M T N L R U
E A A E T I M A L E S W E I A
A H A R A P P A N R M B X L L
Z U A N H G K J Y D H L T F Q
R Z L I S W T E K C L E O U H
```

AEGEAN	KOREAN
AZTEC	MAYAN
CHIMU	MESOPOTAMIA
EGYPTIAN	MINOAN
ELAMITE	MUISCA
ERLITOU	MYCENAE
ETRUSCAN	OLMEC
HARAPPAN	PERSIAN
INCA	ROMAN
INDUS	SUMER
JIAHU	ZAPOTEC

The Great Outdoors

```
D T H A J X K S E L G G O G N
R O K P M U V T V M J I R V T
A S L A D N A S U N S H I N E
O D E O G A B G N I P E E L S
B S V L L Y C P S K I I N G N
F W R E T I S P M A C A T S O
R M O U N T A I N B I K E S R
U O H C Y T O A E K I H E L K
S T I T L C U B V M C R R L E
U P T Y K S Y R R A T S I A L
P A R A G L I D E E F T N B I
E L A T Z Q G B B T T T G W N
I R V A E K C A P K C A B O G
D W E S T N U N L S U Q W N T
E V L U S A T I U S M I W S T
```

ADVENTURE	SKIING
BACKPACK	SLEEPING BAG
BEACHES	SNORKELING
CAMPSITE	SNOWBALLS
GOGGLES	STARRY SKY
HIKE	SUNSHINE
MOUNTAIN BIKES	SURFBOARD
ORIENTEERING	SWIMSUIT
PARAGLIDE	TENT
PICNIC	TRAVEL
SANDALS	WATER BOTTLE

John Steinbeck

```
H M B S K L W O B T S U D U R
E J A M E S D E A N S R O L S
A G E O R G E L J C E E O I R
S R Z A P A T A X A O Z W F G
T A L F A L L I T R O T Y E Y
O P R W D T T N Y O R I L B S
F E A O E O K E T L N L L O T
E S E R P M P S W H N U O A T
D O P Y R S V C I E T P H T E
E F E R E G N O C N Y W G M K
N W H E S I S T A N F O R D C
H R T N S Q R T E I N N E L I
S A L N I S A L I N A S L I R
A T E A O T D L O G F O P U C
E H Q C N A Z A K A I L E X P
```

CANNERY ROW

CAROL HENNING

CUP OF GOLD

DEPRESSION

DUST BOWL

EAST OF EDEN

ELAINE SCOTT

ELIA KAZAN

GEORGE

GRAPES OF WRATH

GWYN CONGER

HOLLYWOOD

JAMES DEAN

LENNIE

LIFEBOAT

PULITZER

RICKETTS

SALINAS

STANFORD

THE PEARL

TORTILLA FLAT

ZAPATA

The Emerald Isle

```
L M P O A X S J P C H V S E W
S I P S U D A I R K Q O U U R
L R A R A S U H O O H T M A S
D T G F E R A B G S M A S M K
T N C R N O M S L A N S S O A
G A L W A Y M A B I M M M G N
S T A M B R L A G E N O D O Z
R S R O A A R F Y H L R S G I
A O E N R B Y E T O D F H I A
A B W A T E R F O R D S A L K
I Q K G S L R T D G A T M S I
B D P H H P E D N A L E R I T
U H T A E M K I W E X F O R D
X Z G N N E E R G K R O C T P
C G Z T S T P A T R I C K J R
```

ANTRIM	MAYO
ARMAGH	MEATH
BELFAST	MONAGHAN
CLARE	OMAGH
CORK	SHAMROCK
DONEGAL	SLIGO
DUBLIN	ST PATRICK
GALWAY	STRABANE
GREEN	TEMPLE BAR
IRELAND	WATERFORD
KERRY	WEXFORD

Superheroes

```
D R I N A M O W R E D N O W U
C A P T A I N M A R V E L I E
N S U P E R T E D A W S N G Y
Q E L E K T R A I Z R Y R S E
O V O O D Y B O O C S K I U P
K N S U P E R M A N T L I P O
F A N T A S T I C F O U R E P
G M L R E D I R T S O H G R S
P T N A M R E D I P S E Z W E
M A E V P A C L V O O H U O L
T B U C K R O G E R S T E M U
C A P T A I N A M E R I C A C
E Z N A M O W T A C X M E N R
S D R I B R E D N U H T I H E
R X S E T I Z O R R O B I N H
```

BATMAN	ROBIN
BUCK ROGERS	SCOOBY DOO
CAPTAIN AMERICA	SPIDERMAN
CAPTAIN MARVEL	SUPER TED
CAT WOMAN	SUPERMAN
ELEKTRA	SUPERWOMAN
FANTASTIC FOUR	THE HULK
GHOST RIDER	THUNDERBIRDS
HERCULES	WONDER WOMAN
POPEYE	X-MEN
RADIOACTIVE MAN	ZORRO

Medicine

```
T S O T T R J G E E O B O I R
W L S X X S E I G R E L L A P
U L W G S T A N T I D O T E N
R G E I W I A D O C T O R N U
I R L E N B I V S O B D P I J
M U L H O S P I T A L P T C S
T L I L I T S I N J U R Y I A
I G N I T S R T P B U E D D U
V L G O A P I E L A O S F E G
F E V E R V T F A C D S S M Y
G R A Z E X S S S T U U L V S
B U R N P G I H T E M R R T I
P B O N O I S S E R P E D H O
J M A P V J S U R I V O N K H
P O W T E G A D N A B Y T T O
```

ALLERGIES

ANTIDOTE

ANTIVENOM

BACTERIA

BANDAGE

BLOOD PRESSURE

BURN

DEPRESSION

DOCTOR

FEVER

GERM

GET WELL

GRAZE

HOSPITAL

INJURY

MEDICINE

OPERATION

PLASTER

STING

SWELLING

TREATMENT

VIRUS

Blue Is The Color

```
C O B A L T H G I N D I M K G
H W A R C E R U L E A N L A A
A C O R N F L O W E R V N W I
P S M Y C K T P U L K K Y G O
Q Z A A U R F A B K B T T R T
I B P R U S S I A N L D L T K
T R T A I R T S B I U Y I G T
L J V V L T T Q Y W E Y G W R
T P I P O W D E R I H P P A S
L N E N I R A M A R T L U Z T
Z A A R K M A G T E E L N U E
G L Y P S L I M A P S G C R E
A I I O G I D N I R I S D E L
S C L A R S A P E J M O A O L
D E R O R S S N O D S I E P D
```

ALICE	MIDNIGHT
AZURE	NAVY
BABY	PERIWINKLE
CERULEAN	PERSIAN
COBALT	POWDER
CORNFLOWER	PRUSSIAN
DARK BLUE	RAIL
DENIM	ROYAL
DODGER	SAPPHIRE
INDIGO	STEEL
IRIS	ULTRAMARINE

It's Magic!

```
C O N J U R O R S L P A V M M
S I S O N P Y H U A S P O R P
T S G N I D A E L S I M L K T
E S T A C K E D D E C K U J R
R D N T M A M S V V F H N S C
C R A A Y P M T A H P O T I M
E O T S H O U D I N I T E P J
S W S N I A M E D R E G E L R
T C I S K I L L S H E N R A O
N I S T A G E S H O W R B G P
U G S T C E F F E M L B I L O
T A A W C A R D T R I C K S Z
S M A G I C I A N T M G A A H
I N S S D Y S R U Z D J N O I
D A R B A D A C A R B A U S R
```

ABRACADABRA

ASSISTANT

CARD TRICKS

CLOSE-UP MAGIC

CONJUROR

EFFECTS

HOUDINI

HYPNOSIS

LEGERDEMAIN

MAGIC WORDS

MAGICIAN

MISLEADING

PROPS

RABBIT

SECRETS

SKILLS

STACKED DECK

STAGE SHOW

STUNTS

TOP HAT

VOLUNTEER

WAND

Hurricane Names

```
C J D Y I K B A T C A E O S J
C E E I N A N D R E A P I C R
J H G R R E B E K A H B H W T
U T D R R G R N I M H A Z E L
B P Y O A Y N A T T N R H N I
S C W S Z S F I K T S B U D N
P H D C S N L E A S O A M Y J
Y P O B R T E L L E I R B A G
A M O S P T O R Z I S A E E A
Z J T I P A B L O Y X E R W S
M U A X K U L R G L T I T N S
W J L X R A T D E A N C O A I
U L H A I I A T W P S E B B L
A L L A P P S R U R L T L T E
B O T H B N E T R A W E F W M
```

ANDREA	JERRY
BARBARA	KAREN
BARRY	LORENZO
CHANTAL	MELISSA
DEAN	NOEL
ERIN	OLGA
FELIX	PABLO
GABRIELLE	REBEKAH
HAZEL	SEBASTIEN
HUMBERTO	TANYA
INGRID	WENDY

Varieties Of Grape

```
E M P E R O R H T T S S O R S
O K O E G U O R O A E S X P L
M Z K P R Y L F L S D E Y I O
U W T V I L L A R D B L A N C
S S I E W L E D E R S D N O A
C U V P C D C T M J R E N T E
A G A M A H N C T L A E O N E
T A R E B R A B E E U S D O A
O R E L T N H R S M A Y R I R
I O I O A A C P D X Z B A R O
J N B D J R R A U O A U H O R
E E I Y S I X P C I N R C E U
R C R O T V Y I S A B E L L A
E I A G R L B L U E B E L L Q
V J U A Q E N F J M P Y R G T
```

AURORA	ISABELLA
BARBERA	MELODY
BLUEBELL	MERLOT
CANADICE	MUSCAT
CHANCELLOR	PERLETTE
CHARDONEL	PINOT NOIR
CHARDONNAY	RIBIER
EDELWEISS	ROUGE
ELVIRA	RUBY SEEDLESS
EMPEROR	SUGARONE
ESPRIT	VILLARD BLANC

Transport

```
R A N H R R W C S C S U I R P
L O J E E P F H B I H S T E D
Y G R L N J I E D F R N G V F
I B C I I I E V A I A N R I A
S E A C L T F R K C C T A T M
D X B O M X A O O A G H N O T
T I O P A T T L T P N U D M R
C W O T E C N E A N I N C O A
O B S E R V A T I O N D E C K
R I E R D S S U R I I E N O W
V B X I F P F O U N D R T L A
E H Y T E J O B M U J B R N H
T N D W B G A L A X Y I A O Y
T L E D O M J A G U A R L K K
E E N T E C O N C O R D E B S
```

AMTRAK

CABOOSE

CHEVROLET

CONCORDE

CORVETTE

DAKOTA

DINING CAR

DREAMLINER

GALAXY

GRAND CENTRAL

HELICOPTER

JAGUAR

JEEP

JUMBO JET

LOCOMOTIVE

MODEL T

OBSERVATION DECK

PRIUS

SANTA FE

SKYHAWK

THUNDERBIRD

UNION PACIFIC

Zzzzz

```
A H J Y H A R G P I Z Z A Z Z
D R A Z Z I G P B Z A U Z R E
I L E W R Z N L P Z T T O H R
Z Z L S G E I H B U Z Z A R D
Z O Z O Z Z L F U C G E T D S
Y A Z Q Z T Z Z Z A X L D J R
G D I A T S Z N Z J I Z A J T
I Q R Q Z Z A J E E F Z Z I Q
R D G I T L D Z R G B I Z T W
A O N Q Z S D S Z G N M L P B
S Z I S T Z E T U I H A E S R
V Z Z G H B L Z T H P U A R R
A E Z E N K Z E L Z Z U P P P
C M U Z Z L E L Z Z U N T R I
E L B L E L R R A J S C I J J
```

BLIZZARD	GRIZZLE
BUZZARD	GUZZLE
BUZZER	JACUZZI
BUZZING	JAZZ
DAZZLE	MEZZO
DAZZLING	MIZZLE
DIZZY	MUZZLE
DRIZZLE	NUZZLE
EMBEZZLE	PIZZAS
FIZZY	PIZZAZZ
GIZZARD	PUZZLE

Delicious Dessert

```
D C C S C V O W P P Y Z E R Z
M I E M G E F U A B M K I V B
P C A V G I N G E R B R E A D
A E T A L O C O H C E N K I A
S C I A N G E L C A K E G F L
T R W P U D D I N G D Y U M A
R E V O N R U T H A C D E O S
Y A T R A I A T L P G Z I U T
A M U T O E K A C E C I P S I
B A N A N A S P L I T O N S U
V A O R Y K H N M P T U A E R
K A C T A E L F F U O S C P F
N X O S C H E R R Y P I E L S
I I C F O N D U E K A C P U C
T I V G A G O B C O O K I E S
```

ANGEL CAKE	GINGERBREAD
BAKED ALASKA	ICE CREAM
BANANA SPLIT	MOUSSE
CHERRY PIE	PASTRY
CHOCOLATE	PECAN PIE
COCONUT	PUDDING
COOKIES	PUMPKIN PIE
CUP CAKE	SOUFFLE
FONDUE	SPICE CAKE
FRUIT SALAD	TARTS
FUDGE	TURNOVER

Race Tracks

```
S E K A L T A E R G Q Z V V E
T T R A M L E D O V E R A N L
O N A S H V I L L E A Q B R O
Y T P E Y I R S R E K N O Y N
K I N D I A N A P O L I S F G
C L O S A L A M I T O S A T B
U Y T I C S A S N A K S G O E
T H G S A X E T C U D E U Q A
N S N W O D L L I H C R U H C
E N I B D O O W E A Z H N J H
K G L A S V E G A S G H F T J
L A R O M L A B R I S T O L A
P D A Y T O N A B E A C H T N
S U W A V M E M P H I S D W L
S T S Q U P O C O N O C E A N
```

AQUEDUCT

ARLINGTON PARK

BALMORAL

BRISTOL

CHURCHILL DOWNS

DAYTONA BEACH

DEL MAR

DOVER

GREAT LAKES

INDIANAPOLIS

KANSAS CITY

KENTUCKY

LAS VEGAS

LONGBEACH

LOS ALAMITOS

MEMPHIS

NASHVILLE

OCEAN

POCONO

TEXAS

WOODBINE

YONKERS

San Francisco Districts

```
T Q U F D U J T P W N A I A R
N I O L R E D N E T T P O N T
O H T D I U U X M C E A S O A
R R H A Y E S E T H S C D I E
D E C T R D Z S W I N I N S E
E R A U Q S N O I N U F O S P
X A E R A Y A B N A S I M I C
C L B O B T A A P T N C H M O
E O H Z A I A M E O O H C L W
L T T Q Y P A O A W E E I B H
S R R A V R S S K N R I R L O
I O O T I E D I S E L G N I L
O P N N E M P R N O B H I L L
R P A L W E S T P O R T A L O
E F V P S N A M R E H S I F W
```

BAY AREA	NORTH BEACH
BAYVIEW	PACIFIC HEIGHTS
CHINATOWN	PORTOLA
COW HOLLOW	RICHMOND
EXCELSIOR	RUSSIAN HILL
FISHERMANS	SOMA
HAYES	SUNSET
INGLESIDE	TENDERLOIN
MARINA	TWIN PEAKS
MISSION	UNION SQUARE
NOB HILL	WEST PORTAL

James Bond

```
D P I H O H U G O D R A X F F
X R G O J A W S P E C T R E E
M R E V R A C S I R A P E V A
O I O O C T O P U S S Y G M S
O G N I M E L F N A I U V P T
N R R L L A B R E D N U H T O
R T D I J A M E S B O N D A N
A E C I V R E S T E R C E S M
K B R E G N I F D L O G P W A
E M O N E Y P E N N Y D I A R
R H I J E S A C Y N A F F I T
A E R Z D N A R B A L A G L I
J Q G O L D E N E Y E X W I N
C A A D H U O W A E X N P N I
D A L B T B I B I D A H L J Z
```

ASTON MARTIN

BIBI DAHL

CASINO ROYALE

DR NO

GALA BRAND

GOLDEN EYE

GOLDFINGER

HUGO DRAX

IAN FLEMING

JAMES BOND

JAWS

MARTINI

MONEYPENNY

MOONRAKER

OCTOPUSSY

ODDJOB

PARIS CARVER

SECRET SERVICE

SPECTRE

THUNDERBALL

TIFFANY CASE

WAI LIN

Valentine's Day

```
A W R T E U Q U O B U T T X I
C L T E C C U P I D H H O U P
V H H N N Z E S I R P R U S G
S H O J A C A N D Y A P G T F
C E E C M T N E M E G A G N E
B T S A O E A N O I T O M E B
E N L S R L L O A T C I P S R
E E N O I T A C I D E D S E U
L M U V T K U T G L E S O R A
S T S E N I T N E L A V R P R
S I F F L O W E R S K S P C Y
Q M L I M U Q G C M A D E M Q
S M S S G U H R K W P E L N D
L O V I N G L O H V O S P T S
S C A R D S T Y R J O H Q N F
```

BOUQUET	FLOWERS
CANDY	GIFT
CARDS	HEART
CHOCOLATES	HUGS
COMMITMENT	KISSES
CUPID	LOVING
DEDICATION	PRESENTS
DINNER OUT	ROMANCE
EMOTION	ROSE
ENGAGEMENT	SURPRISE
FEBRUARY	VALENTINE'S

Coach Trip

```
A D M N S H C P T I G G A C G
W A P Y T D O U J D S I O U U
I O T I C K E T S I R U O T F
S R T R A V E L E T P I S T F
K B A C A P I T A L O F V D E
D A Y T R I P S E Y L M T E R
I R E G N E S S A P S A S F R
T E F R I E N D S H I P S R Y
S D H U B D Y F S G A A X D A
E R U S E H C I W D N A S R F
A O I Q U I C K B R E A K H H
T B R A Y M U N O I T A C A V
S R S T H E E R U H C O R B I
X P I L N C A V U L S O K R L
F H S Z X G X R N T U R M U G
```

ABROAD	FRIENDSHIPS
BORDER	HOTEL
BROCHURE	LUNCH BREAK
CAPITAL	PASSENGER
CHAIRS	QUICK BREAK
COUPLES	SANDWICHES
CUSTOMS	SEATS
DAY TRIPS	TICKET
DELAYS	TOURIST
DRIVER	TRAVEL
FERRY	VACATION

World Currencies

```
G P P I N E I U G Z U Q D I S
R A P J A R T U R B Y O I S P
N I B F K K O L W I L T S H W
V I C K F R N R V L N S O I N
S H I P A O B L A B B G D L H
A I N X M R N R D Y U U G L Z
S V R C S S R E N M I N B I R
B T I E D P L L Y E M U F N T
A T A I E N A B O T G R G G Q
I D N U O P B U D O A N U U P
M A U U A S U R U N A I E L O
R U K A C P E R C L L T C T I
P I R V K I D P S D Z M A R K
O K L S N E S L E A E D P U A
R C O U X Z T R L O Q A D M I
```

BALBOA	OUGUIYA
DINAR	PESO
DOLLAR	POUND
ESCUDO	QUETZAL
FRANC	RENMINBI
GOURDE	RINGGIT
GUILDER	RUBLE
KUNA	RUPEE
MARK	SHILLING
NAKFA	TENGE
NGULTRUM	ZLOTY

Operas

```
G A Q O A N N A B O L E N A I
D O N P A S Q U A L E B E L J
O C C U B A N C R A N O M I U
T P A Z E F G U B T S R R T D
T A N N H A U S E R P I A T E
E E I L A F I S R A P S C A I
L M F I D E L I O V T G I A R
O E T T U T N A F I S O C G F
G H T E B C A M S A U D J N G
I O L L E H T O E T A U L P E
R B G A S K O T V A F N F R I
O A I N N A V O I G N O D H S
P L Q C C H A M L E T V R I J
P L M A G I C F L U T E T R W
W I L L I A M T E L L B T S U
```

ANNA BOLENA	LA BOHEME
ATTILA	LA TRAVIATA
BARBER OF SEVILLE	MACBETH
BORIS GODUNOV	MAGIC FLUTE
CARMEN	NABUCCO
COSI FAN TUTTE	OTHELLO
DON GIOVANNI	PARSIFAL
DON PASQUALE	RIGOLETTO
FAUST	SIEGFRIED
FIDELIO	TANNHAUSER
HAMLET	WILLIAM TELL

US Cities

```
S U I R F S G A I L I E T D E
P U S D T P D M I A M I R T Y
B N A R E U D K T U S S P N E
Y V L I L N C Y T S P C U I L
A S L U T V V S I T R V P H I
T S A N J O S E O I L A Q F G
T U D L B E D T R N E W A R K
X B X A N R N O T S U O H E R
T M I S I O A S E I T L K S P
I U N V G M L E D H A A T N R
U L E E R I T A K P V F M O I
P O O G H T R T V M I F O P H
A C H A R L O T T E S U G U A
E E P S I A P L P M T B P L V
N O T S O B A E A A C F U J H
```

AUSTIN	LAS VEGAS
BALTIMORE	MEMPHIS
BOSTON	MIAMI
BUFFALO	NEWARK
CHARLOTTE	PHOENIX
COLUMBUS	PORTLAND
DALLAS	SAN JOSE
DENVER	SEATTLE
DETROIT	TAMPA
FRESNO	TUCSON
HOUSTON	TULSA

Composers

```
P Y K C J Q B E E T H O V E N
E O V A D A I T G R I E G U H
E D I R C T B E D B J E X I O
Y X V H S H R S U I L E B I S
P A A P A S A M O Z A R T S S
L R L N H S H P E E V H C T L
L S D W A C M U A T S H H M E
E E I R T H S C M T O P A M D
L N N A M U H C S P A H I T N
G D I L S B S I I L L E K T E
A Y S F B E R N F E H I O Y M
R A S I S R V I R O T Q V S P
T H O T I T T A L R A C S Z T
N P R D V M R S G M D E K N I
O R P E Y S T H V Y T J Y Y I
```

BACH	MAHLER
BEETHOVEN	MENDELSSOHN
BIZET	MOZART
BRAHMS	PUCCINI
CHOPIN	ROSSINI
ELGAR	SCARLATTI
GERSHWIN	SCHUBERT
GRIEG	SCHUMANN
HANDEL	SIBELIUS
HAYDN	TCHAIKOVSKY
HOLST	VIVALDI

Household Appliances

```
R K K L R S T L A U H R A A O
R P I F G R C R E K I Z Z A I
E R A T S O O R E V A H S D O
H N E E X T O T E Y O M C E Y
S U P Z F A K B A T R T A F U
A X M L E R E F R L S D S R R
W H U I U E R O O O O A T O O
H J U T D G R R T V I C O S T
S N C D U I B F I E B L R T C
I P A S W R F L S N S W E E A
D P V U G F H I S I D D T R P
J I P B B E A Y E R S R S Z M
O T T Y Z R F G R R X P L O O
P R P X O B E C I R O N O C C
S C A N O P E N E R E C I U J
```

BROILER	IRON
CAN OPENER	JUICER
COMPACTOR	OVEN
COOKER	PERCOLATOR
DEFROSTER	PLUG
DISHWASHER	REFRIGERATOR
DRYER	ROTISSERIE
FANS	SHAVER
FREEZER	STOVE
HUMIDIFIER	TOASTER
ICEBOX	VACUUM

Oh So Quiet!

```
K X E A I I T T S Y H P O M T
Y T A C I T U R N A R G M R C
P T U O K C A L B T T N A E Q
E S L N T P R S J Q E N H C A
T A P T T H L F S L Q A Z A D
F O V E V E E E M U T E D E I
R Z R M E D U T I L O S V P C
V R S P E C B L A L H R D H A
M N Y L R N H R R T E D S Y L
H X F A F G A L R S I L I B P
Z S K T E I U Q E M W D L I D
R A U E S T O R A S L X E K W
I C W H I S P E R O S A N M I
S Z O T O E E I U M U U C A V
Y Q S Q N R T S S E C R E C Y
```

BLACKOUT	RESERVED
CALM	REST
CONTEMPLATE	SECRECY
HUSH	SILENCE
LULL	SLEEPY
MEDITATE	SOLITUDE
MUTED	SPEECHLESS
NOISE FREE	TACITURN
PEACE	TRANQUIL
PLACID	VACUUM
QUIET	WHISPER

Sights Of New York

```
B S I L M A N Y L K O O R B A
M O T W A L L S T R E E T T Y
C U U A E R A U Q S S E M I T
E R S T T H T G N I P P O H S
N P U E I E K N Q Z I I M E E
T A X I U Q N M E L R A H T I
R P A R S M U I U C C D A A R
A T R C L E S E S Y D T A T E
L I B E R T Y I S L A N D S L
P K R A P Y R E T T A B A E L
A T I M A N H A T T A N I R A
R R E L L I S I S L A N D I G
K M C H R Y S L E R T P W P S
S S K Y S C R A P E R J P M S
O X W F I F T H A V E N U E D
```

BATTERY PARK

BOUTIQUES

BROOKLYN

CENTRAL PARK

CHRYSLER

CRUISE

ELLIS ISLAND

EMPIRE STATE

FIFTH AVENUE

GALLERIES

GRAND CENTRAL

HARLEM

LIBERTY ISLAND

MACY'S

MANHATTAN

MUSEUMS

SHOPPING

SKYSCRAPER

STATEN ISLAND

TAXI

TIMES SQUARE

WALL STREET

World Wide Web

```
C O N N E C T E D G U H O N L
Y H D W A K T T L A T I G I D
B M A P S O C I A L A O R P O
E U A V I R U S O F P O T J W
R T Y R R V Y B T L U B A S N
S G T R E V R E S Y L S Q D L
P N N E T R V W I E A O L F O
A U R I U A X M A E I T U S A
C Z C I M Q B R O A D B A N D
E B O E M A I L M O D E M D A
I N T E R N E T W O R K I N G
E H A R D W A R E E U T A S Y
R Q O K A Z X Q T N U S A I T
N E S W I R E L E S S A E H X
S O R U U I I N X D I P I X C
```

BROADBAND	MODEM
CHAT ROOM	MOUSE
CONNECTED	NETIQUETTE
CYBERSPACE	NETWORKING
DATA	SERVER
DIAL-UP	SOCIAL
DIGITAL	SPAM
DOWNLOAD	STREAMING
EMAIL	VIRUS
HARDWARE	WEBSITE
INTERNET	WIRELESS

Stock Market

```
G S A Y P D A Y T R A D E R Q
N N C S T O C K S J Y S G Q L
I B I H S I L L U B C E A L E
W A R D U A U B K B H R R L E
S I D T A R X Q I U C A T T C
O X O S N R N Q E Y A H I S N
G R E D R O T I M I L S B Y A
S N K C O T S Y N N E P R A N
C L I Y T N E M E G A N A M I
D P Y T F I X L O P T I O N F
R F E T S Y T I D O M M O C T
T U O K A E R B Z W L O S C T
R N E X D I V I D E N D D V L
S D R D M G Z N T R E N D E E
D S U S R E G G I R T E E T O
```

ARBITRAGE	INVESTING
BREAKOUT	LIMIT ORDER
BULLISH	MANAGEMENT
BUYING POWER	OPTION
CHURNING	PENNY STOCK
COMMODITY	SHARES
DAY TRADE	STOCKS
EQUITY	SWING
EX-DIVIDEND	TRADING
FINANCE	TREND
FUNDS	TRIGGER

Motown

```
H Z I S E T T E L E V R A M F
S Z A T H G I N K S Y D A L G
E P A E Y A G N I V R A M L V
M L I V T M A R T H A O R E T
E A N I F F U R Y M M I J W J
R Q U E E N L A T I F A H K D
P S S W I T C H V T G I E C I
U L I O N E L R I C H I E O A
S L S N O I T A T P M E T R N
P E E D W I N S T A R R S O A
A W V E V I F N O S K C A J R
R Y E R Y K A H B A D U A R O
K R A K O C O M M O D O R E S
L A L O H A N O I S E T T E S
E M F O U R T O P S O T T T R
```

COMMODORES	MARVELETTES
DIANA ROSS	MARVIN GAYE
EDWIN STARR	MARY WELLS
ERYKAH BADU	NOISETTES
FOUR TOPS	QUEEN LATIFAH
GLADYS KNIGHT	ROCKWELL
JACKSON FIVE	SPARKLE
JIMMY RUFFIN	STEVIE WONDER
LIONEL RICHIE	SUPREMES
LOHAN	SWITCH
MARTHA	TEMPTATIONS

Celestial Objects

```
V E N U S R Y T O S A O P L T
S O N S O E R T G R U U O I R
A S R U I J U P I T E R O N K
T U H P T L C Y X A L A G P S
U I B O P P R H P T U N F T B
R I D I O R E T S A A U D R C
N U S E H T M N H C C S T O B
M E T E O R I T E E E R M E R
P M A R S S A N R R M E Y T Q
U T R I M B P T G E T O O T M
L E S J B A Q U A S A R O T E
S T H G I L N R E H T R O N P
A W R V W H I T E D W A R F T
R S L B A F R A W D D E R R X
T Q S U U L W S A H J I Q I M
```

ASTEROID	PULSAR
CERES	QUASAR
COMETS	RED DWARF
GALAXY	SATURN
JUPITER	SHOOTING STAR
MARS	STARS
MERCURY	THE MOON
METEORITE	THE SUN
NEPTUNE	URANUS
NORTHERN LIGHTS	VENUS
PLUTO	WHITE DWARF

Garth Brooks

```
W P S P D T T H E S T O R M N
O E M U T H A T S U M M E R S
K T A A H D J L W K E S D N L
O S Y S U I U L J E A L S Z L
S E B E N X I I K C N O T S E
S S E G D I R B G N I N R U B
E R L N E E E Y A A L E O O R
L O L A R C L O L D L S K M E
E H A H R H A B F E O O E Y V
M D U C O I N W E H R M S N L
A L W N L C D O T T P E R O I
H I O U L K N C I H H D E N S
S W O T S E T K H S P O M A S
R O D E O N V R W O L V E S P
E V S D T H G I N T N E L I S
```

ANONYMOUS	ROLLIN'
BELLAU WOODS	SHAMELESS
BURNING BRIDGES	SILENT NIGHT
CHANGES	SILVER BELLS
COWBOY BILL	THAT SUMMER
DIXIE CHICKEN	THE DANCE
IRELAND	THE STORM
LONESOME DOVE	THUNDER ROLLS
MAYBE	WHITE FLAG
RED STROKES	WILD HORSES
RODEO	WOLVES

New Orleans Streets

```
W X O L U S K M S W X X W H B
E R I S E D E E N I H P U A D
E S N A E L R O X S S F S S E
D A O R R E T S A N O M L A C
O C A F F I N A V E N U E L A
B L S C B F O S K R W E N U T
L A N A C N B E T B M S I O U
T I A R O A R L R O E P Z T R
F B M R Y I U R A U T L A I S
H O H O R S O A M L A A G P S
R R C L C Y B H P E I N A U A
M N N L R L I C A V R A M O C
R E E T T E A T R A I D R H I
Q E R O Y A L S T R E E T C P
N F F N I S A B I D E R A T O
```

ALMONASTER ROAD	ERATO
BASIN	ESPLANADE
BOURBON	FRENCHMAN'S
CAFFIN AVENUE	MAGAZINE
CANAL	METAIRIE
CARROLLTON	ORLEANS
CLAIBORNE	RAMPART
DAUPHINE	ROYAL STREET
DECATUR	ST CHARLES
DESIRE	TCHOUPITOULAS
ELYSIAN FIELDS	WISNER BOULEVARD

Hollywood

```
S H O P S D O O W Y L L O H L
V N D R A V E L U O B W L S S
T C H I N E S E T H E A T E R
H S E S U O H G I B V X H R U
E I U E Y N L Z L O E M E U E
H G D A M I G Z L U R U B T F
I H N O T A S I S X L S O C I
L T O Z A O F U S V E E W I L
L S R A T S S F J E Y U L P T
S E L E G N A S O L H M A N H
H E E M Z U X T T K I T R O G
O I S E I T I R B E L E C I I
W N A A I N R O F I L A C T N
S G L A M O R Y A J S D W O Q
O R S U P M Y L O T N U O M R
```

BEVERLEY HILLS	MOUNT OLYMPUS
BIG HOUSES	NIGHTLIFE
BOULEVARD	SHOPS
CALIFORNIA	SHOWS
CELEBRITIES	SIGHTSEEING
CHINESE THEATER	STARS
GLAMOR	THE BOWL
GLITZ	THE HILLS
HOLLYWOOD	THE SIGN
LOS ANGELES	WALK OF FAME
MOTION PICTURES	WAX MUSEUM

World Airlines

```
U B J A P A N U S L C S X T R
N T R R C S T S E W H T R O N
I I Z I A R Y A N A I R E L A
T R L A T N E N I T N O C F C
E S U D H I A Y L A A X N O I
D V F N A I S A R I A I A R R
A Z T A Y F I H I D E U R E E
I P H L P L N X A N M S F A M
L H A E A R G N H I I U R T A
A Z N C C S A A C R R G I S T
T A S I I M P E E I A W A E L
I U A A F D O R Z A T D A W E
L Q L A I Z R O C O E H X Y D
A X E U C U E K U G S L R K S
C V S P E M P P C S L K B S R
```

AEROFLOT

AIR ASIA

AIR FRANCE

AIR INDIA

ALITALIA

AMERICAN

BRITISH AIRWAYS

CATHAY PACIFIC

CHINA

CONTINENTAL

CZECH AIRLINES

DELTA

EMIRATES

ICELANDAIR

JAPAN

KOREAN

LUFTHANSA

NORTHWEST

RYANAIR

SINGAPORE

SKYWEST

UNITED

At The Theater

```
T E W C A T W A L K G O X E R
T L I Q L P I W P O I U U H Z
A S L T U W A R D R O B E N N
M I L G S W R S F T I D D C K
L A M P H I T H E A T E R A J
K S H R E S E A M S T R E S S
N I A T R U C Y T E F A S T R
R K E U O C O S T U M E S P X
E G L L O C B O X O F F I C E
B A C K D R O P O P I L N T R
A G R Y E F L O O D L I G H T
S G I E G A T S K C A B R J S
P Z C E A R T S E H C R O E S
J Y D U T S R E D N U L O G E
R L I T S C E N E R Y H M T J
```

AISLE	GODS
AMPHITHEATER	LOGE
BACKDROP	ORCHESTRA
BACKSTAGE	RAKE
BOX OFFICE	SAFETY CURTAIN
CAST	SCENERY
CATWALK	SEAMSTRESS
CIRCLE	STAGE DOOR
COSTUMES	UNDERSTUDY
DRESSING ROOM	USHER
FLOOD LIGHT	WARDROBE

On The Golf Course

```
R W F P A R S C O R E O C E O
C A U P A U O C U A D C S F S
L T V S G U A P T U R A I L A
U E K O R T S P A C I D N A H
B R T E E S S S N A V D W G O
S H A U T F O L D E E I U S Y
M A B Q T Q R W I B R E P L T
S Z N A U Q T A N N O O T I J
P A F D P I A E W E K A F J L
A R C U T K B O G E Y S W M O
A D F Z R R L I R G D O O K O
X S J E L G A E R L O G U U L
L U J Q F V U P R D U L E L P
S H A E P E E L M Q I Q F R J
Z R Y M C R R B U N K E R P U
```

ALBATROSS

BIRDIE

BOGEY

BUNKER

CADDIE

CLUBS

DRIVER

EAGLE

FLAGS

FORE

GOLF

HANDICAP

LINKS

OUT AND IN

PAR SCORE

PUTTER

SAND TRAP

STROKE

TEES

WATER HAZARD

WEDGE

WOOD

Oscar Winners

```
T B R A N D O F T C A G N E Y
S I D N E Y P O I T I E R S U
R S T R E B O R A I L U J U L
E Y C A R T R E C N E P S F B
G H I L A R Y S W A N K U H R
O E S A B E T T E D A V I S Y
R L E S Y T L W H A C K M A N
R E A Q S O P H I A L O R E N
E N N R A Y M I L L A N D S E
G M P E C K Z T R A G O B S R
N I E T O M H A N K S E A J B
I R N P J A C K L E M M O N M
G R N O Y L L E K E C A R G E
G E K P P E E R T S L Y R E M
G N A R E P O O C Y R A G P Z
```

BETTE DAVIS	JACK LEMMON
BOGART	JULIA ROBERTS
BRANDO	MERYL STREEP
CAGNEY	PECK
FOREST WHITAKER	RAY MILLAND
GARY COOPER	SEAN PENN
GINGER ROGERS	SIDNEY POITIER
GRACE KELLY	SOPHIA LOREN
HACKMAN	SPENCER TRACY
HELEN MIRREN	TOM HANKS
HILARY SWANK	YUL BRYNNER

Olympic Medalists

```
S I W E L L R A C K Y O E H A
T J D S N N R I W C N P C U L
E U A O O E E H A A R T N J N
V S W R S D H A N L U R A I E
E T N H N I C T G B B E R A S
L I F P H E S O Y R S I R N L
E N R L O H I B I E O J O T O
W G A A J C F O F G L I T H O
I A S R L I N L U O R L N O T
S T E V E R E D G R A V E R T
T L R C A E V O R P C Z W P O
R I B Y H A S N S S P A G E P
R N I A C E N A L D E R F L A
T A K R I S T I N O T T O G G
T R U S M A R K S P I T Z S R
```

ALFRED LANE	LI JIE
ATO BOLDON	LI NA
CARL LEWIS	MARK SPITZ
CARL OSBURN	MICHAEL JOHNSON
DAWN FRASER	OTTO OLSEN
ERIC HEIDEN	RALPH ROSE
GWEN TORRANCE	ROGER BLACK
HU JIA	STEVE LEWIS
IAN THORPE	STEVE REDGRAVE
JUSTIN GATLIN	SVEN FISCHER
KRISTIN OTTO	WANG YIFU

The Amazon Rainforest

```
B A R S E T T G S S T N A L P
T A I D U M S O R N I N N V G
R D S R U A R R E A N O U X I
F E T I Y M E F V I S I S F A
I F I B N M B E I B E T T A Y
S O U T H A M E R I C A S E N
H R R U T L I R A H T V E L V
U E F Q P S T T N P S R R D O
Z S E L I T P E R M B E O A U
S T O T R O P I C A L S F O A
U A V E G E T A T I O N N R A
U T Y T I S R E V I D O I B I
L I O S W M E I S O V C A L P
N O Z A M A U O N E R S R P O
X N V E P E W S A V I O S I C
```

AMAZON	MAMMALS
AMPHIBIANS	PLANTS
BASIN	RAINFOREST
BIODIVERSITY	REPTILES
BIRDS	RIVERS
BROADLEAF	SOIL
CONSERVATION	SOUTH AMERICA
DEFORESTATION	TIMBERS
FISH	TREE FROG
FRUITS	TROPICAL
INSECTS	VEGETATION

Bagel Fillings

```
L N N R A Y P P O P G A R E S
D O P O N E G A S U A S Q A U
B I G L C H C H O R R J S L Z
Y N I S I A R L S Y L S A Y T
Q O F H T I B E D S I A R V S
K S A L M O N K R C C L I T Q
G A U P B L A C K B E A N W A
Q H S I F E T I H W I D S C E
O Y V N O M A N N I C S D H E
K W P P Y E K R U T E S R I L
S R L E R E U E S S A G A C U
F T O P F E D P A S L G T K U
E I I C R E A M C H E E S E O
L Y R R E B E U L B R T U N A
S I L T L V P P F A L D M U I
```

BACON	PUMPERNICKEL
BLACK BEAN	RAISIN
BLUEBERRY	SALAD
CHICKEN	SALMON
CINNAMON	SAUSAGE
CREAM CHEESE	SESAME
EGGS	SHRIMPS
GARLIC	SYRUP
MUSTARD	TUNA
ONION	TURKEY
POPPY	WHITEFISH

Children's Games

```
G I V A P P L E C O R E R B N
C O P S A N D R O B B E R S T
C O D P K I S S C H A S E G E
D A N L H E R A U Q S R U O F
E O T K L O G G O O T I V R S
O I C S E U P A A T R A S F R
Y T I T C R B S T T L H L P O
X N I P O R S H C N L C M A Y
K C A M Y R A M S O I L L E R
Q B A D E G G D O I T A A L O
S D O D G E B A L L T C H B S
J R K E E S D N A E D I H C X
I P X S Y A S N O M I S R F S
P R S E N I D R A S W U A B A
E Y H O U S E P O R P M U J B
```

APPLE CORE	HIDE AND SEEK
BAD EGG	HOPSCOTCH
BALL TAG	HOUSE
BRITISH BULLDOG	I SPY
CAT'S CRADLE	JUMP ROPE
CHAIN TAG	KISS CHASE
CONKERS	LEAPFROG
COPS AND ROBBERS	MARY MACK
DOCTOR	MUSICAL CHAIRS
DODGE BALL	SARDINES
FOUR SQUARE	SIMON SAYS

Contemplation

```
R I R F E N V I S A G E T A K
S A T H S O G E Y D U T S E P
M C A S P I R E T O H C P X A
S M E D I T A T E I O R E P E
L I U Q N A R T N N A U C E Q
R R H U T L E K S Q N M U C P
W U X I E P K I E F A I L T T
Y M P E N M D R U R M N A C S
O W U T D E L I B E R A T E F
E O E L R T H G U O H T E L C
S S Z A L N P U H G I E W F A
R T I B R O O D O V E R C E D
Z O S S T C V V R P R H X R E
S S E S F O R E S E E K A N K
A J R A A N R L R W Q H O R M
```

ASPIRE TO

BROOD OVER

CHEW

CONSIDER

CONTEMPLATION

DELIBERATE

ENVISAGE

EXPECT

FORESEE

INTEND

MEDITATE

MULL OVER

QUIET

REFLECT

RUMINATE

SIZE UP

SPECULATE

STUDY

THINK

THOUGHT

TRANQUIL

WEIGH UP

NFL Teams

```
V B I Q X A R M H B L H N D U
I K M I R A V E U T P M X L E
K G S V I Q U C R U S S W A T
I L T D F P C R A T E X A N S
N T E J C A R D I N A L S X L
G R E U N T L E S P H S Z B L
S T L E F R A C D R A N R R I
S S E A D I C U O S W A A O B
Z R R O D O P T I N K T V N L
S L S A W T L E R Y S I E C C
I M I B U S A P E R S T N O V
O P O T W G I C H I E F S S T
T Y T V L L A K L I A V N I W
S N A E F M I J S T N A I G T
P L S R C H A R G E R S O S E
```

BILLS	JAGUARS
BRONCOS	JETS
BUCCANEERS	PATRIOTS
CARDINALS	RAIDERS
CHARGERS	RAVENS
CHIEFS	REDSKINS
COWBOYS	SEAHAWKS
DOLPHINS	STEELERS
EAGLES	TEXANS
FALCONS	TITANS
GIANTS	VIKINGS

London - On The Tube

```
G A K N A B O N D S T R E E T
U E A P C N V A E L C R I C E
H T I M S R E M M A H R R R E
V D O B A I R O T C I V S F E
T R R A E L C D N A T S R C L
K E Z K N O R T H E R N A M I
A T A E S S O R C S G N I K B
D S J R R E W W M L A N R S U
I N E S U B D O A R D N F R J
S I U T T U E I Y T U S K Q I
T M S R R T D W H X E E C L Y
R T T E R L H E B O T R A A R
I S O E W A G B A K E R L O O
C E N T R A L L I N E O B O F
T W M F P A D D I N G T O N O
```

BAKER STREET	JUBILEE
BAKERLOO	KINGS CROSS
BANK	MIND THE GAP
BLACKFRIARS	NORTHERN
BOND STREET	OVERCROWDED
CANARY WHARF	PADDINGTON
CENTRAL LINE	STAND CLEAR
CIRCLE	TUBES
DISTRICT	VICTORIA
EUSTON	WATERLOO
HAMMERSMITH	WESTMINSTER

Visiting Miami

```
E M U I R A U Q A E S Y P E P
W O N D E R W O R K S Z T S X
O R E R T N E C Y D E N N E K
L F S W S N I H P L O D Y S R
C A F E A V A N T I V S O U A
C O R A L C A S T L E G D O P
A Y R I B E A C H E S Z N H R
B A L L E T F L O R I D A T O
V D S E D A L G R E V E L E T
C A R N I V A L R H L O R N A
L Y S F S U N S H I N E O N G
Y T T R Y N A I N O S F L O W
R O B R A H N A C I L E P B I
U N E A B W H X A S M I A M I
M A R L I N S P L A S H H Y E
```

BALLET FLORIDA

BAYSIDE BLASTER

BEACHES

BONNET HOUSE

CAFE AVANTI

CARNIVAL

CORAL CASTLE

DAYTONA

DOLPHINS

EVERGLADES

GATOR PARK

KENNEDY CENTRE

LOWE

MARLINS

MIAMI

ORLANDO

PELICAN HARBOR

SEAQUARIUM

SPLASH

SUNSHINE

WOLFSONIAN

WONDERWORKS

NASCAR And Indy 500

```
A S T L T T O M S N E V A O E
E N I L O S A G T B R F N I U
J E F F G O R D O N O R O Q N
N X G O R N I F C O D A T S T
O T N T E B I S K X E N Y S A
D E I E H K E C C I N C A P L
L L C L T R S C A D N H D A L
E C A O N U Q N R R Y I S C A
H U R R A D O V E R H T K E D
W P N V P T W I R P A T B C E
A G O E S B X D H M M I O A G
L L I H M A H A R G L A S R A
K H S C S H O W D R I V E I O
K C I R T A P A C I N A D T S
V Y V B R I C K Y A R D K O M
```

BRICKYARD	NEXTEL CUP
CHEVROLET	PACE CAR
DANICA PATRICK	PANTHER
DAYTONA	ROTH RACING
DENNY HAMLIN	SHOW DRIVE
DIXON	STOCK CAR
DOVER	TALLADEGA
FRANCHITTI	TEAM PENSKE
GASOLINE	TOM SNEVA
GRAHAM HILL	VISION RACING
JEFF GORDON	WHELDON

Pacific Islands

```
W R Y W O A F R T I A E I R V
P D N A L S I S U C R A M S T
P D A S A D K A P A A S A S C
A N N R A N S G D L F T R N X
C A U A O A T N N P D E O F C
P L T U L L O O A T R R R I G
M S U S O S B T L S K I E N H
A I F T S I I O S O M S E R E
A E C R E N I R I R I L F I F
M S X A G O I A E P D A S A A
O O Q L A M A R K K W N A C D
T R U I T O P H A W A D I T G
A L U A K L U W W R Y B P I U
N Z A A N O T S R E M L A P A
A Q R N A S S A U E A U N A M
```

ANATOM	NASSAU
AUSTRALIA	OLOSEGA
BAKER ISLAND	PALMERSTON
EASTER ISLAND	PITCAIRN
FUTUNA	RAROTONGA
GUAM	ROSE ISLAND
KAULA	SAIPAN
MANUAE	SOLOMON ISLANDS
MARCUS ISLAND	TOBI
MARO REEF	TUPAI
MIDWAY	WAKE ISLAND

Insects

```
O E S M S P B E D B U G P G F
A F L I E S I I U H O R N E T
A P O T P Q V T S W A S P S E
S S N A E S T W O Y A Y S S K
T P T R E E C R I C K E T L C
E W R W R R B N I F E I L I I
K S E F G S G C K B C Y Y F R
C M L W V M A P U K K T T A C
I Y M E A D O W K A T Y D I D
R N X N A H C A O R K C O C L
C S T N A P T S T E R M I T E
H I F E T Y R H N I S I Q N I
S S W U D I P T G I F U R M F
U O T I U Q S O M S T I O P O
B H D S E T I M E H R K C L J
```

ANTS

BED BUG

BEES

BEETLE

BUSH CRICKET

BUTTERFLY

CICADA

COCKROACH

FIELD CRICKET

FLEA

FLIES

HORNET

LOUSE

MEADOW KATYDID

MITES

MOSQUITO

MOTHS

PRAYING MANTIS

STICK KATYDID

TERMITE

TREE CRICKET

WASPS

Year And A Day

```
Q O U E N Q L M R A W M P P F
M L I D J F D U G V O L Y W E
I R C N N F O R T N I G H T D
V P E O X M G O T G I O S A A
F K N C P T U H H X U R T L G
H E T E R N I T Y R P E P S X
B E U S E Y Y C U I A T E S A
G W R M C E S I S A L N J E F
Y S Y E A A E O G H E I B L A
U O S R M R A Z H V O W C T R
E C A G B S S O C F Z B A M T
L W C T R O O S K A O W T W W
I Q M U I N N E L L I M I R I
Y X Q D A Y S M R L C S P P R
Y T M I N U T E M I T Y F T P
```

AUTUMN	MINUTE
CENTURY	MONTH
DATE	PALEOZOIC
DAYS	PRECAMBRIAN
ETERNITY	SEASONS
FALL	SECOND
FORTNIGHT	SPRING
HOUR	TIME
LIGHT YEAR	WEEK
MESOZOIC	WINTER
MILLENNIUM	YEARS

Eating Out

```
K C E C T N D A N P I M S A N
Y R E N I D P A D B L I N S T
E A L P I I S C T W L T A T K
M W E U S N S T A V H I C R J
T T C G U N S I E R D P K L Q
O N I N P E T R E E S P T P E
U A V I P R W E S Z P I B P T
Y R R S E A C S R C M N O I R
O U E S R O E I U P R G O R C
R A S E U R U T O T Y K K I B
D T D R T K L K C E H C I M U
E S S D M E O E N I W E N I F
R E S E R V A T I O N A G R F
S R N Y Z S C H A M P A G N E
I U L S I B Z S M J H N C O T
```

BOOKING	MENU
BUFFET	ORDER
CHAMPAGNE	RESERVATION
CHECK	RESTAURANT
CUTLERY	SERVICE
DESSERT	SILVERWARE
DINER	SNACK
DINNER	SUPPER
DRESSING UP	THREE COURSES
FINE WINE	TIPPING
MAIN COURSE	WAITRESS

Formula One Drivers

```
O R R I L I Y N T I T R A A D
D L L C Q F X Q V D R L V L J
S T E U Q I P O I G N A F O R
D C L X I T T P L C B I C N H
K I H U N T A T L N E U R S A
U R F U R I S T E W A R T O A
S D A L M P S M N R T U W F U
P Z N L W A N R E S D R J A G
O M O E C L C J U T E N T R H
K U X S N D V H V S M N A I U
I C R N H I R D E O O J N N L
A P X A P I K A B R A B H A M
M A A M W P L K T P A A O L E
R G R S N N U L A U D A A Z Z
T Q N R O H T W A H P O P E R
```

ALONSO	HULME
ANDRETTI	HUNT
ASCARI	LAUDA
BRABHAM	MANSELL
CLARK	PIQUET
FANGIO	PROST
FARINA	RINDT
FITTIPALDI	SCHUMACHER
HAKKINEN	SENNA
HAWTHORN	STEWART
HILL	VILLENEUVE

Mythology

```
P B L N I L M E R G R A C Y J
B U B X I N E O H P Z A A C I
G N O M E F T U P Y B B R Y O
A Y G T M F F E N R I R B E A
J I G D D F N I L B O G U S V
T P A P L I Z A R D M A N D A
C E R B E R U S U G I O C L L
Z G T E R G O F A I R Y L L A
L A H H Q O C J T P X E E W P
U S S E G P S P O L C Y C T O
H U E M H P M Y N O G A R D V
L S H O O I K S I L I S A B E
M S R T S H N O M E A D O D A
P P L H T T S O S A Q E D O A
C E T L C S A T U J I R S R L
```

BASILISK	GHOST
BEHEMOTH	GNOME
BOGGART	GOBLIN
BUNYIP	GREMLIN
CARBUNCLE	GRIFFIN
CERBERUS	HIPPOGRIFF
CYCLOPS	LIZARDMAN
DAEMON	MINOTAUR
DRAGON	NYMPH
FAIRY	PEGASUS
FENRIR	PHOENIX

Sailing The Seas

```
G T W Z S O Q Y K O O N P P P
T L H Z T V E G N I F E E R S
U P A F U R L I N G A O I E D
D L T S G N I G G I R U C D N
G I L G P A S D N R L U C D I
N A R A M I R T E Z T E R U W
I S C H O O N E R T B S E R E
K N X S B T Y N Y E S Z T H D
C I P O P U C S A C I R E M A
A A O W T M A M P K T Z M R R
T M O R S R R S N A E C O U T
X N L A K E R L S M T R M H G
Y A S T A R B O A R D S E G U
E T E C V R K S J Y H G N I D
Y Q H T N U T F O T E V A E H
```

AMERICAS CUP	OCEANS
ANEMOMETER	REEFING
BEAM REACH	RIGGING
BOOM	RUDDER
CUTTY SARK	SCHOONER
DINGHY	SLOOP
FURLING	SPINNAKER
HEAVE TO	STARBOARD
HEELING	TACKING
MAINSAIL	TRADE WINDS
MAST	TRIMARAN

Famous Scientists

```
O T T S X E S E T I U T S H S
F R A N K L I N N T E S L A N
R N R L B S C A F A U S T W L
Q P I O O L N G T A G W B K T
M S S W H G I P K L R A Z I S
O D T E R S V D C I B A S N A
O C O L D A A M N B A J D G P
R C T L N E D D A O M M O A L
E T L J E I M G L N H A O L Y
N D E D G R E I P M E Y U I R
H P I U T U I T H Z E W L L K
S O T S N C D E S C A R T E S
A E J S O S U C I N R E P O C
T Z B D R N Z K K I I A X A N
A B L N C I X U X T G E Y O P
```

ARCHIMEDES	FARADAY
ARISTOTLE	FRANKLIN
BABBAGE	GALILEO
BOHR	HAWKING
COPERNICUS	LOWELL
CURIE	MOORE
DA VINCI	NEWTON
DARWIN	PLANCK
DESCARTES	RONTGEN
EDISON	SAGAN
EINSTEIN	TESLA

Birds Of Prey

```
S N O W Y O W L D I E A A V J
R Y E R P S O W T R L S R U P
O B L S A G I O R E G I O L L
T B G P D H B D E D A H D T E
P O A A E T E E L K E A N U R
A H E R T A N N G I A R O R T
R T D R I B Y R A T E R C E S
A R L O K G N O E E S I L M E
W T A W K O O H N M P S W J K
E Q B H C S C R E E C H O W L
Z R U A A H L T D R C A N P A
Q H F W L A A O L L A W R P L
B T R K B W F M O I Q K A W F
U T P T E K O W G N G H B J T
S P Q B U Z Z A R D V Y O K W
```

BALD EAGLE	KESTREL
BARN OWL	MERLIN
BLACK KITE	OSPREY
BUZZARD	RAPTORS
CONDOR	RED KITE
FALCON	SCREECH OWL
GOLDEN EAGLE	SEA EAGLE
GOSHAWK	SECRETARY BIRD
HARRIS HAWK	SNOWY OWL
HOBBY	SPARROWHAWK
HORNED OWL	VULTURE

Units Of Measurement

```
V K R I P C I T S L F I S T L
L S H S I J E M E O Y V C K D
I Y S A O A M U W J S Y K H T
M R S U O R A D I A N A I T A
E N L P T S C R E B E W L T L
T E S L A C O U L O M B O B E
E H S U I S L E C E E R G E D
R E R M Y V C I P T I W R C N
E R O E I N S A W W S A A Q A
H T T N S N I V L E K T M U C
A Z S S B S O T C N O T W E N
X L A W A T L O V G M I X R P
O T S A R Z N H H P S R O E E
Q E K R T D A R A F F M O L E
J L O T K T A D H M T L U Y E
```

BECQUEREL

CANDELA

COULOMB

DEGREE CELSIUS

FARAD

HENRY

HERTZ

JOULE

KELVIN

KILOGRAM

LUMEN

METER

MOLE

NEWTON

PASCAL

RADIAN

SECOND

SIEMENS

TESLA

VOLT

WATT

WEBER

Popular Celebrities

```
T I G E R W O O D S W A I H B
N T E N U Y R O J S R N L B R
A U O O I R K G A K T G A S A
Y H R T V Z L W Y N O E D T D
R J G L R R E I L A M L A T P
B R E I W E L L E H C I M C I
E F L H I L T L N M R N M E T
B L U S N D O S O O U A A L T
O F C I F N N M O T I J H I R
K Y A R R A J I B F S O U N U
A R S A E S O T Y U E L M E M
D E P P Y M H H A L S I Z D P
T K I D M A N A O K T E D I I
R I H E I D I K L U M K I O S
X U W T R A W E T S D O R N J
```

ADAM SANDLER	KOBE BRYANT
ANGELINA JOLIE	MICHELLE WIE
BRAD PITT	MUHAMMAD ALI
CELINE DION	PARIS HILTON
DEPP	ROD STEWART
ELTON JOHN	TIGER WOODS
GEORGE LUCAS	TOM CRUISE
HEIDI KLUM	TOM HANKS
JAY LENO	TRUMP
JODIE FOSTER	WILL SMITH
KIDMAN	WINFREY

San Diego Sights

```
J T H E B E A C H W K K O N S
P A B H A R B O R C R U I S E
A N T C C A T R I A A N K M A
N W O T D L O T E S P K T U W
A R P A L L L E S A A R Z E O
U O E W C O L S U D O A T S R
J S D E G J I B O E B P A U L
I A E L C A R A H B L L Q M D
T R F A A L B N Y A A A U T N
R I E H R U A K E N B M A H A
T T T W L P C K L D M I R E L
S O N I S A C N A I D N I Z O
D A A I B L S T H N I A U O G
O A S C A S R N W I X O M O E
Y M R O D A N O R O C H E O L
```

ANIMAL PARK

AQUARIUM

BALBOA PARK

CABRILLO

CARLSBAD

CASA DE BANDINI

CORONADO

CORTES BANK

HARBOR CRUISE

INDIAN CASINOS

LA JOLLA

LEGOLAND

MUSEUMS

OLD TOWN

ROSARITO

SANTE FE DEPOT

SEAWORLD

THE BEACH

THE ZOO

TIJUANA

WHALE WATCH

WHALEY HOUSE

Fireworks

```
V O E X P L O S I O N M R W A
Q F S P R I H P W H T M R A W
A I K D E R T E R I F N O B O
W R R A L U R C A D L K C A T
A E O D K E A T E T N E K N T
T C W M R A F A S Y O S E G A
Y R E E A C F C N A I I T H N
T A R L P N I U I L T O S Z W
E C I J S I C L A P A N S W S
F K F R N Y L A T S R K T H F
A E T D N H I R N I B L E I W
S R O L O C G R U D E L E Z L
L O H X M R H V O I L A L Z F
A L T R R O T R F S E E P R P
P L A V I T S E F K C P S V M
```

BANG

BONFIRE

CELEBRATION

COLORS

DISPLAY

EXPLOSION

FESTIVAL

FIRECRACKER

FIREWORKS

FOUNTAINS

HEAT

NOISE

ROCKETS

ROMAN CANDLE

SAFETY

SHELLS

SPARKLER

SPECTACULAR

TRAFFIC LIGHTS

WARMTH

WHEEL

WHIZZ

Learn Spanish

```
P J T T I K G H S X E H Y C I
F R U I A I N C E R V E Z A Z
I H U V L O M U V R W R L S E
L O Q E E O E L E K M M L A U
R L J D S R Y U U V Z A I I X
Y A T I U P D N J Y E N N C S
V H E E H U O E O H C O U A M
F T R Z T E W S E T R A M R Q
E J D S S E R D A M T X O G A
Y F A G U A A A V R A J I H Q
A W P O O Y V U O T O R E P R
A B Z S U A D F C C C O D W M
W R A P S D O E D H N I Q Z A
T T T X P M W O C T I I T I E
T V I J L J W T X B M Y C A U
```

AGUA	HOLA
CERVEZA	JUEVES
CINCO	LUNES
CUATRO	MADRE
DIEZ	MARTES
ESPOSA	NUEVE
GRACIAS	OCHO
HERMANA	PADRE
HERMANO	ROJO
HIJA	SIETE
HIJO	VERDE

World Of Disney

```
O S W A L D A V Y J O N E S U
T Q X Z G T S P D P B N B E D
U I E T I K L U S O P L T I U
L S I K P C S F E C V Y J R U
P R B C R U E L L A D E V I L
L G R U E D N O U H T S R A L
P G E D T Y O W C O B U V F E
L D H D E S T D R N E O P Y I
I O P L P I I A E T L M L E R
T Y R A O A R B H A L E G N A
E W O N H D T G R S E I S S X
K C M O O P G I I K E N A I D
A L A D D I N B L J A N C D P
E J L R N A I L L I M I X A M
U I N T G I K L M E D M T G J
```

ALADDIN	HERBIE
ANGEL	HERCULES
ARIEL	KENAI
BELLE	KING TRITON
BIG BAD WOLF	MAXIMILLIAN
CRUELLA DE VIL	MINNIE MOUSE
DAISY DUCK	MORPH
DAVY JONES	OSWALD
DISNEY FAIRIES	PETER PIG
DONALD DUCK	PLUTO
GRACE	POCAHONTAS

South America

```
S O R S V F H P L S E B G S S
E T G A L A P A G O S D U A Z
Z S E I Y L U R U G U A Y N E
T E O B R K S A E A S E A A H
T R A M O L F G M L C N N I S
Y O M O T A O U A E I I A U I
E F A L A N I A N U P L B G N
N N Z O U D P Y I Z O T O H A
M I O C Q I U F R E R S L C P
Y A N D E S M O U N T A I N S
T R R L S L T P S E R O V E Q
V A I B R A Z I L V U C I R P
K H V T A N I T N E G R A F T
C V E R O D A U C E R Y E E T
S R R U K S F U R L W Q E P P
```

AMAZON RIVER	FRENCH GUIANA
ANDES MOUNTAINS	GALAPAGOS
ARGENTINA	GUYANA
BOLIVIA	PARAGUAY
BRAZIL	PERU
CHILE	RAIN FOREST
COASTLINE	SPANISH
COLOMBIA	SURINAME
ECUADOR	TROPICS
EQUATOR	URUGUAY
FALKLAND ISLANDS	VENEZUELA

Don't Forget Your Toothbrush

```
E E U N Z B R U A R Y R J J J
B T A H N U S Q T R R E I F R
K P E N O H P L L E C F N A T
O X T Q X S E I R T E L I O T
O F U A S U N G L A S S E S M
B T I D A R E M A C Z T A V G
D R S R E B M U N E N O H P Y
O S W A S H O E S T E K C I T
O V I C E T S A P H T O O T R
G M M T P O A D A P T E R P O
W S W I I O R I D W M J L M P
A J E D W T A D D R E S S E S
L M A E R C N U S K M R K P S
L S R R M E S A C T I U S O A
P O E C N A R U S N I T N S P
```

ADAPTER

ADDRESSES

CAMERA

CELL PHONE

CREDIT CARD

FIRST AID KIT

GOOD BOOK

INSURANCE

MONEY

PASSPORT

PHONE NUMBERS

SHOES

SUITCASE

SUN CREAM

SUN HAT

SUNGLASSES

SWIM WEAR

TICKETS

TOILETRIES

TOOTHBRUSH

TOOTHPASTE

WIPES

Coffee Break

```
M R F L S E L K N I R P S O E
V C R A A T U O S S E R P S E
C A F F E I N E H N D W U V R
R J M O C H A O A A N T T A O
F O A K U W R C F E I H E T S
O U V C M T O A T B R H F H Y
A M L A B A M P E E G B P N M
M A T L L L A P R E J O B H R
A C A B B F J U T F W I A P P
N C C G L O G C A F C T Y C D
K H I N E G D C S O E S I Z A
R I B O N W M I T C J N E L H
A A A L D Y P N E T T A L T Z
E T R Y Y D O O W D T L D O M
S O A T S U B O R S V D F J Z
```

AFTERTASTE	FULL BODIED
ARABICA	GRINDER
AROMA	LATTE
BLEND	LONG BLACK
CAFFEINE	MACCHIATO
CAPPUCCINO	MOCHA
COFFEE BEANS	ROBUSTA
ESPRESSO	SHORT BLACK
FLAT WHITE	SPRINKLES
FLAVOR	WOODY
FOAM	YIELD

Sweet Tooth

```
M T W O H T R E A C L E A U B
R U R M D O U G H N U T A M I
E T F Y A U N P A N C A K E S
P Q T F I C R E A M R L W R C
U S M A I E B L Y R Q O A I U
P L E M O N C U R D R C F N I
D A E R B R E G N I G O F G T
W E R G A T E A U S H H L U O
U G E K A C E E F F O C E E F
G N F E B B R O W N I E S E P
H O F A O L T I U R F I C L T
S P S A O A P E O L S X V P S
A S H O R T B R E A D T X A O
Q T T T E S E R L W S W K H O
I F T Q C O O K I E S G L C W
```

BISCUIT	HONEY
BROWNIES	LEMON CURD
BUNS	MERINGUE
CHOCOLATE	MUFFIN
COFFEE CAKE	PANCAKES
COOKIES	SHORTBREAD
CREAM	SPONGE
DOUGHNUT	SWEET BAGEL
FRUIT LOAF	TART
GATEAU	TREACLE
GINGERBREAD	WAFFLES

What You Wear

```
O X S U E A R S W B O O T S K
Z P R U T I E E T Y Y L E U C
D Q B V S K I R T N E P K S A
W L Q T H T R M R A A U C P P
L A N Q A C I R I S E P A A N
R E R B T U Q E H W N W J C S
J X Q D S R S M S D C A S S D
G S I X E D I S T L M L E R L
Z G B D P N B H O A O S V J Q
R T T E A E E G S V R S O O M
E Q L W A H S C A R F E L T E
U L C E P B L O U S E R G O R
Z W O O B U U U O I L D U U F
Y E Q K A E T B O N R O N I R
M P S E H T O L C R E D N U A
```

BELT	PAJAMAS
BLOUSE	PANTS
BOOTS	PASHMINA
CAPS	SCARF
CLOGS	SHAWL
COAT	SKIRT
DRESS	SWEATER
GLOVES	T-SHIRT
HATS	TIES
JACKET	UNDERCLOTHES
JEANS	UNDERSHIRT

Cereal Crops

```
E R U S J E P G L T K W T O E
M U R U D R P R E O P X A E R
E O A T S G Y D L P S T C O P
L L E N R E K T B T U R F O P
A F U A S R X A I T O I T L J
C A I N J I Q T A I P T V I P
I N P C A B P A F U W T I E C
T T T H A R V E S T A E W K J
I N E R M E G H L E P C G R P
R Q L L N A S W D L E I Y A U
T E R N L P I A L A E R E C F
Y H Y B R I D Z J B P T R L S
E Y H S T N M B E P O O T U M
N H S O R G H U M I P P Y U S
Q H F N R J N V J S U R A R H
```

BALE	MAIZE
BARLEY	MILLET
CEREAL	OATS
CROPS	PELLET
DURUM	REAPING
FLOUR	RICE
GRAIN	RYES
GRANULE	SORGHUM
HARVEST	TRITICALE
HYBRID	WHEAT
KERNEL	YIELD

San Francisco Sights

```
S E W H V F G F M U S E U M S
T L B R Q O L E J D T N N K K
Y D L H S G I R S J J A O I R
L N S Z N C G R Z H N D B L A
O A R A O I H Y Y C A E H L P
P H A R I T T B A T P C I E S
E N C T L Y H U B A A R L R W
R A E A A D O I Y W V E L W A
A P L C E I U L E K A M A H V
H Q B L S N S D R R L E H A E
O W A A R E E I E A L K Y L O
U N C U R R A N T H E A T E R
S E H C A E B G N S Y L I S G
E T A G N E D L O G A I C R A
T A Q U A R I U M V F U G Y N
```

ALCATRAZ	LIGHTHOUSE
AQUARIUM	MONTEREY BAY
BEACHES	MUSEUMS
CABLE CARS	NAPA VALLEY
CITY HALL	NOB HILL
CURRAN THEATER	OPERA HOUSE
FERRY BUILDING	PANHANDLE
FOG CITY DINER	PARKS
GOLDEN GATE	SEA LIONS
KILLER WHALES	SHARK WATCH
LAKE MERCED	WAVE ORGAN

American States

```
X A F U K O S S O O L S P N M
S P K P H E S I N D I A N A T
A O D A R O L O C I I A T O U
K D D I M T A N A G I H C I M
S I I G K Y P I L C A L P W I
A V T R R Z Y L I O W A A T R
L P T O O L R L F P A S F M R
A A S E Y L N I O M H O A P A
U N A G W N F F R I A R R B M
Y E S R E J W E N R Y E U Y T
T V N V N K E G I L T G M P K
S O A Y P U T Z A H B O J L B
F D K P O O O N X A A N V B R
A A P A N N D E L A W A R E A
P E N I A M A B A L A K R H U
```

ALABAMA	INDIANA
ALASKA	IOWA
ARIZONA	KANSAS
CALIFORNIA	MAINE
COLORADO	MARYLAND
DELAWARE	MICHIGAN
FLORIDA	NEVADA
GEORGIA	NEW JERSEY
HAWAII	NEW YORK
IDAHO	OREGON
ILLINOIS	WASHINGTON

Blockbuster Movies

```
T Y P A C N A L B A S A C P M
S M M O G A C I H C T V W D R
U D U A N N I E H A L L E G L
C C G C P B R A V E H E A R T
P P T T L F F F O E R N I L G
S A S A A O A S S H D S E L O
U T E M T A F J U H G C A M D
P T R A O R O N I C N D S T F
L O R D O F T H E R I N G S A
N N O E N E U A T A T A I S T
H R F U R T O K T S S M G R H
Y U O S X S W O Q H E N I R E
S B E N H U R B R E H I A I R
O L L I H O S E T I T A N I C
G T A S C B K Y K C O R R U T
```

AMADEUS

ANNIE HALL

BEN HUR

BRAVEHEART

CASABLANCA

CHICAGO

CRASH

DEER HUNTER

FORREST GUMP

GANDHI

GIGI

GLADIATOR

GODFATHER

LORD OF THE RINGS

OUT OF AFRICA

PATTON

PLATOON

RAIN MAN

ROCKY

SHREK

THE STING

TITANIC

Family Day Out

```
R X A S U N B U R N A G B P Y
H S I S E M A G D R A C P K P
S Q P I U P T F R E H T O R B
P D H S N S H U O T C R P E S
A R C T C L I N C S O A H V M
D A O E L A N F K A U V N M C
E Y U R E M G A P O N E O A I
D M S R J I C I O C T L I J N
I R I G A N O R O R R T T C C
S A N D C A S T L E Y S S I I
A F B I K E T Q S L S U U F P
E L E R R A U Q Y L I M A F X
S T T U M S M F T O D S H A Q
L U T B N D E T U R E A X R T
W G Y O X R A L B U C K E T V
```

ANIMALS

BATHING COSTUME

BROTHER

BUCKET

CARD GAMES

COUNTRYSIDE

COUSIN BETTY

EXHAUSTION

FAMILY QUARREL

FARMYARD

FUN FAIR

PICNIC

ROCK POOL

ROLLER COASTER

SANDCASTLE

SEASIDE

SISTER

SPADE

SUNBURN

TRAFFIC JAM

TRAVEL

UNCLE JACK

Something Philosophical

```
M S D I A L E C T I C E O G G
F R E E W I L L L V O A U S H
R M P T E F P M S I N A M U H
T S I L A I T N E T S I X E D
R I S H M S I V I T C E J B O
M N T K S F A T A L I S M A G
S I E A I O N T O L O G Y X M
I M M X C E V I T C U D N I A
U R O F I O E G O I S M P O T
R E L A T I V I S M N O N M I
T T O M S I L A I R E T A M S
L E G B O R E A L I S M G R M
A D Y M N E T H I C S S L S A
A U G V G F R E E D O M H P Q
H J M A A L I E N A T I O N E
```

AGNOSTICISM	EXISTENTIALIST
ALIENATION	FATALISM
ALTRUISM	FREE WILL
AXIOM	FREEDOM
CONSCIOUSNESS	HUMANISM
DETERMINISM	INDUCTIVE
DIALECTIC	MATERIALISM
DOGMATISM	OBJECTIVISM
EGOISM	ONTOLOGY
EPISTEMOLOGY	REALISM
ETHICS	RELATIVISM

Monkeying Around

```
U T L V Q J F W G S I M I A N
A B O N O B O E P Y K P U Z L
N I L T L O R U T E A P N K E
I I L I L E A Q E K L A C X A
R Q H L G K N A S N L H R F S
A R Y C A W G C S O I D H O N
M E C R U Y U A F M R R O E O
A I I B D P T M P L O O W R B
T S E P A E A A A E G W L T B
Y R R Q G N N C E R O D E V I
R A E T D Z S T S R M L R S G
M T D R E P L S L I T O T S T
U Y I E E L W D I U K Z S V U
L L P J B I A V W Q R A A E A
L W S U K U A W S S N O S D T
```

APES	NEW WORLD
BONOBO	OLD WORD
CAPUCHIN	ORANGUTAN
CHIMPANZEE	SAKIS
GIBBONS	SIMIAN
GORILLA	SPIDER
HOWLER	SQUIRREL MONKEY
MACAQUE	TAMARIN
MANDRILL	TARSIER
MARMOSET	UAKARIS
MONKEYS	WOOLLY

Museums And Galleries

```
H Y Y N T R A N R E D O M I N
U L H G O G N A V U L O I S A
H A M B U R G T V A A N C R E
R T D U Z D C I J L P R H S L
I E N A T I L O P O R T E M O
J G F T W P L N P W P R L I M
K A L H U L U A Y A A A S T H
S T M U A K W L I V U O O H S
M I E H N E G G U G L H N S A
U M R E L P R A D O G O I O S
S R D O O W L L I H E S D N A
E E E R V U O L L H T U O I S
U H E A R S T E L S T R R A D
M U S E E D O R S A Y J P N S
B R I T I S H Y E N T I H W R
```

ASHMOLEAN
BRITISH
EL PRADO
GUGGENHEIM
HAMBURG
HEARST
HERMITAGE
HILLWOOD
LA JOLLA
LOUVRE
METROPOLITAN

MICHELSON
MODERN ART NY
MUSEE D'ORSAY
NATIONAL GALLERY
PAUL GETTY
RIJKSMUSEUM
RODIN
SMITHSONIAN
SOHO ART
VAN GOGH
WHITNEY

Bling Bling

```
E T H P J P H D M Y S K I H S
V H O T U G E O B F T N L Q I
I R O H E S R L V T T E O U L
S K P M Y R L E W E J A K A O
N K S B D T S I D C D R T Q R
E Y N E D P Z A C A N R E O E
P L F I I I S T A L C I L L K
X V N R L R A Q R K L N E O O
E A A K K F O M M C F G C T H
S L A U A R F S O E A T A N C
S D A E B I A U S N C R R A L
S N O I T A R O C E D L B D O
C N B A N G L E E A C S T N O
T H E A R T S N I A H C Q E P
X U X D A N G L E L K R A P S
```

ACCESSORIES	ELEGANCE
BANGLE	EXPENSIVE
BEADS	GEMS
BRACELET	HEARTS
CHAINS	HOOPS
CHOKER	JEWELRY
CUFFLINKS	LOOPS
DANGLE	NECKLACE
DECORATIONS	PENDANT
DIAMONDS	SPARKLE
EARRING	SPIRALS

Famous Works Of Art

```
Z U R J S P I R A L J E T T Y
A I P M Y L O E F F S E H L P
B L K B N I A W Y A H E H T R
N I G H T W A T C H F O B T G
T M R A S I L A N O M L R L G
F A E T R E P P U S T S A L I
L E P A H C E N I T S I S G L
E R S E W O T H E K I S S R L
D C C C H A F H L A D A N S E
F S P R I M A V E R A M R C S
O E K N S T O N E H E N G E D
W H S S T A R R Y N I G H T A
E T R M A C I N R E U G M I V
I Z L A S M E N I N A S S W I
V T A N I G H T H A W K S Q D
```

BIRTH OF VENUS	OLYMPIA
DAVID	PRIMAVERA
FLAG	SISTINE CHAPEL
GILLES	SPIRAL JETTY
GUERNICA	STARRY NIGHT
LA DANSE	STONEHENGE
LAS MENINAS	THE FOUNTAIN
LAST SUPPER	THE HAY WAIN
MONA LISA	THE KISS
NIGHT WATCH	THE SCREAM
NIGHTHAWKS	VIEW OF DELFT

Relaxed And Pampered

```
R C Y P A R E H T T R L R B H
T L K O M U B K J U R E Z D M
S F C T U M A S S E U S E A S
F L I I S T V A Q R W E K P B
W Q T O C Y P J L R P E R S M
T T S N L S N N G H U T L A T
N O P S E P O N E P H N S R M
T T I L S M I A A D E S W I Y
B S L O R M T C E C A Q R P T
S T L T M L A A K G R R A A U
F A C I A L X L E M O E F F A
V R W O D O A E M R E A A T E
S S V N R C L H S J T U N M B
I U S S E D E L I O P S P L S
T P A M P E R I N G D T A K F
```

BEAUTY	MUSCLES
CREAMS	NECKLACE
DEEP HEAT	PAMPERING
FACIAL	PICK-ME-UP
JEWELRY	POTIONS
LIPSTICK	RELAXATION
LOTIONS	SPAS
MAKE-UP	SPOILED
MASSAGE	SWIMMING
MASSEUSE	THERAPY
MIRROR	TREATMENT

Visiting London

```
B I G B E N A Q U A R I U M R
C O V E N T G A R D E N T U L
O J L T H E P A L A C E O E F
F N S O M E R S E T H O U S E
T A T E B R I T A I N L R U S
K N A B H T U O S R G X I M T
H T P U F S L U A P T S S H I
A U N U S D N E T S E W T S V
R U N D E R G R O U N D S I A
R N O D N O L F O R E W O T L
O M Z L A F S Y E L M A H I H
D X P B V X T R S U B D E R A
S E P F O O Z N O D N O L B L
J A S U D S E Y E N O D N O L
P A R L I A M E N T H A M E S
```

AQUARIUM

BIG BEN

BRITISH MUSEUM

COVENT GARDEN

FESTIVAL HALL

HAMLEYS

HARRODS

LONDON EYE

LONDON ZOO

OXFORD STREET

PARLIAMENT

RED BUS

SOMERSET HOUSE

SOUTH BANK

ST PAUL'S

TATE BRITAIN

THAMES

THE PALACE

TOURISTS

TOWER OF LONDON

UNDERGROUND

WEST END

Baseball Teams

```
S B N P S R E W E R B B F T E
A L T P E N O A R A R O U W M
J O D T R W A O V A S Q A V H
O S I A S H T I V C B T V R R
S Y A R L I V E D L U Q R S E
R A M G A T S G Q N C I O O X
E J O T N E Y W K T I G E R S
G E N T I S E E K N A Y P Q R
D U D X D O R I O L E S Y O J
O L B O R X A E Z F U N O S Z
D B A S A Q K T N R X I C E X
X Q C D C S T N A I G L U U G
T A K E S E I K C O R R E T X
K Q S R E G N A R S L A Y O R
T C S C S F A A S T E M M D P
```

ASTROS	MARINERS
BLUE JAYS	MARLINS
BRAVES	METS
BREWERS	ORIOLES
CARDINALS	RANGERS
CUBS	RED SOX
DEVIL RAYS	ROCKIES
DIAMOND BACKS	ROYALS
DODGERS	TIGERS
GIANTS	WHITE SOX
INDIANS	YANKEES

Southern Constellations

```
A A P H B P P U P P I S D A A
F K S I G N O N S V P U T R Q
F A R L V A P U S E W N U I H
A I A Y P U H R L L T R U H B
S N D C A N I S M A J O R T P
U I A S E L U C R E H C O E L
N M H C I X C C P A M I A B N
G E S O U T H E R N C R O S S
Y G U D P T U N A U A P C H H
C A N O P U S T N A E A T N T
G T A R R E T A R C L C A G R
L F D A Z R O U E M U W N Q Z
V D I D T R X R H O M S S U R
F J R O H S P U C N U L P K P
S B E A L S U S A G E P U E A
```

ACHERNAR	ERIDANUS
APUS	GEMINI
BOOTES	HADAR
CAELUM	HERCULES
CANIS MAJOR	OCTANS
CANOPUS	OPHIUCHUS
CAPRICORNUS	PEGASUS
CENTAURUS	PUPPIS
CRATER	SOUTHERN CROSS
CYGNUS	TUCANA
DORADO	VELA

American Footballers

```
L V D S S P A R T S H E L L U
L T R S G U S O H X R H K S R
L H A E G G E L T C E P R E A
T S N T I E N Y A M N P P S D
O D Y N B N Y A M C I W R T D
E U A O N E A T A D O A O A I
D R M C O U H L N A J H L K S
B E N I L P R E E N E S Y C O
U N O N R S E N O I I Y A I N
D E D O E H N O J E L L T L E
D T J U V A B I R L R L S R R
E S B B D W A L P M A I I A N
B W T A L A M I N I H B T W K
L N O T R U B N O R C O O R K
T D S C S O N K A N T W I N E
```

ABNER HAYNES	JOE NAMATH
ADDISON	LIONEL TAYLOR
ANTWINE	MCDANIEL
ART SHELL	OTIS TAYLOR
BILLY SHAW	RON BURTON
BUONICONTE	SESTAK
CHARLIE JOINER	STENERUD
CSONKA	TALAMINI
DON MAYNARD	VERLON BIGGS
ED BUDDE	WARLICK
GENE UPSHAW	WILLIE LANIER

On The Sea Shore

```
U D A B V V S D F U C A C X M
W Y R S M R B R E E Z E S X R
W A L L R M S B S E G N O P S
K A V L A A W Y H S W T O C N
R A R E T R A A T R W A U R E
P L V H S I F Y L L E J E U H
B C C S E N O M E N A A E S C
K O F K L E P A T E A S R T I
E N N C T W L U C R A B M A L
D C W O T O C E A N V G O C R
T H R R I R E T A W E N L E Y
R S H T R M H S R A M T L A S
C W L N B R D S A N D D U N E
V N Q U L A M O Q A O P S S S
O H N O T K N A L P O Q K S P
```

ALGAE	PLANKTON
BREEZE	ROCKS
BRITTLE STAR	SALT MARSH
CONCH	SALTY
CRAB	SAND DUNE
CRUSTACEAN	SEA ANEMONE
JELLYFISH	SEAWEED
LICHENS	SHELLS
MARINE WORM	SPONGES
MOLLUSK	WATER
OCEAN	WAVES

'C' Words

```
G F R C L A M S Q I S E S N X
J T E R A B A C C K T N Q C C
J C R O E G N E L L A H C A U
U I E O E G A B B A C C G D S
P W T N L C D R V X E I F D O
R J N E I E V I E F L R R I S
X A E R I A T T R Y L C E E D
H P C O N S T A N T D U Q C H
W E A I I E E R R S R L A H I
E R M S W E N I E F F A C E D
F E E X Z T I W Y C K T C C A
I V R L O B B S T C H E E K Y
T S A Z B E A M S V A R K N S
T T S A E A C I T A D E L E F
T R N L R R C A D E T R P E I
```

CABARET	CENTER
CABBAGE	CEREAL
CABINET	CERTAIN
CABLE	CHALLENGE
CADDIE	CHECK
CADET	CHEEKY
CAFFEINE	CIRCULATE
CAGILY	CITADEL
CAMERA	CLAMS
CARTRIDGE	CONSTANT
CEASE	CROONER

Soccer

```
T P O I A A R E D N E F E D S
P L I N E S M A N R R I S T C
U N D E R D O G B T A S C C E
E D I S F F O P U S U W O T L
Y L D N E I R F B B S R R S O
T A C K L E G I S K N O E A W
L H Q L D C N T E E M K R M U
L S Z C K J I T R M I Z A C G
A I A T U T G K C I K L A O G
B R A R U R N H A T T R I C K
D P Y T S G A L F A Z W G Z C
N E E F L A H T S R I F M T R
A E L C R I C R E T N E C Y Y
H W R T P Z I X S X I S S I V
G Z E Q U A L I S E R A O K L
```

CENTER CIRCLE	GOAL KICK
CHANGING ROOM	HANDBALL
CORNER	HAT TRICK
CROSSBAR	INJURY
DEFENDER	LINESMAN
DRAW	OFFSIDE
EQUALISER	RED CARD
EXTRA TIME	SCORER
FIRST HALF	SUBSTITUTE
FLAGS	TACKLE
FRIENDLY	UNDERDOG

'D' Words

```
I L X E B V N U D I K T G E D
A S S E N K R A D A F T L Y Z
V K Z D T W P S I I M P G M B
L E C L L H D U C T R P T E Q
A A T I A W S E T R G E E W F
K C N D T A O H I P F U C N M
E P T O I S A R O C D S W T U
L C Q F G U M S N I S I E A C
B S N F I A C U A R Q R S R I
B E C A D D I S R E S P E C T
A G G D D H M D Y D S I W O O
D D Q U P I A D U A L I S M E
L O X T L I N K T R W Y N E O
Q D A U L E Y N E Z I N E D L
U T U Y S T D L R F L V D T U
```

DABBLE	DIAGONAL
DACE	DICTIONARY
DAFFODIL	DIGITAL
DAFTLY	DIRECT
DAILY	DISCO
DAMPEN	DISRESPECT
DANCE	DODGE
DARKNESS	DRUMSTICK
DELUGE	DUALISM
DEMOCRAT	DUCT
DENIZEN	DYNAMIC

Financial Terms

```
A K S G N I N R A E T R A M A
U L D I V I D E N D S R S O N
Y I D N O B H V C O B P S R A
R M I I A L S O F I K A E T L
Q I M G W J A N T T W J T G Y
I T T R O P E R L A U N N A S
N O L A Z F A U E P S C P G T
D R W M K G L T Y T I U Q E S
E D S T E T A R E S A B B E R
M E C I F F O K C A B L C S O
N R R F N D L C A S H F L O W
I A M O R T I Z A T I O N O R
T E K R A M L L U B T S N U C
Y D K P T C A R T N O C T S T
C U R R E N C Y R E L A E D Q
```

AMORTIZATION	CONTRACT
ANALYST	CURRENCY
ANNUAL REPORT	DEALER
ARBITRAGE	DIVIDEND
ASSET	EARNINGS
BACK OFFICE	EQUITY
BASE RATE	INDEMNITY
BOND	LIMIT ORDER
BULL MARKET	MORTGAGE
CASH FLOW	PROFIT MARGIN
COLLATERAL	TURNOVER

Gemstones

```
N H E R I H P P A S T O P A Z
R E T M A L A C H I T E C I P
Q N I P Y Q L S P W R Q G Q C
G I N U R P U E U E E T A G A
S L A P I S L A Z U L I R R U
M A Z D L A R E M E H T N A M
R M N O B S I D I A N O E P D
R R A S E S I O U Q R U T S N
D U T C A I R R I R Q I T D O
M O O N S T O N E U O U N L M
O T S Y H T E M A P T Y I E A
F S O O Y B U R A E S V J F I
R G R U T V T L X P I A U D D
T H G N P Z K J A N D T J R G
W F O B S C K K E E T T A I X
```

AGATE	MOONSTONE
AMETHYST	OBSIDIAN
AQUAMARINE	OLIVINE
DIAMOND	OPAL
EMERALD	QUARTZ
FELDSPAR	RUBY
GARNET	SAPPHIRE
JADE	TANZANITE
JASPER	TOPAZ
LAPIS LAZULI	TOURMALINE
MALACHITE	TURQUOISE

Pirate Ship

```
B K X S F S D G E A T S M A Z
O G H Y T R V R P A C D A M K
U B C R H Z V N A S M A W B A
N I U A G R E E N O I P A C R
T D M N I H M G N O H T N R S
Y W V E E Y E P A T C H D R R
Y H O C F T R E A S U R E E E
R P Y R O V J W O V T R R G L
Z S A E S N E P O C R K E O B
S H G M E A G M E A A N R R M
E I E P C Y U K A P V W Y Y A
O P R R E T T O R T E B O L G
R S P P I R A T E A L L A L N
S J H N P A E T V I E U G O R
P N Y G A L L E O N R S U J D
```

BOUNTY	OPEN SEAS
CAPTAIN	PIECES OF EIGHT
EYE-PATCH	PIONEER
GALLEON	PIRATE
GAMBLER	ROGUE
GLOBETROTTER	SHIPS
HOARD	TRAVELER
JOLLY ROGER	TREASURE
MADCAP	VENTURER
MERCENARY	VOYAGER
MUTINY	WANDERER

Why Oh 'Y'

```
J  I  I  O  R  Y  Q  S  T  K  R  V  F  B  Z
I  R  Q  H  T  U  O  Y  T  Y  E  A  I  Y  A
H  Y  E  A  S  T  I  L  E  T  Q  T  M  I  E
B  E  E  I  T  E  Y  S  K  L  E  S  I  T  P
R  G  S  O  L  X  T  T  L  X  L  A  X  N  L
C  N  T  D  M  E  R  S  W  L  T  O  N  R  T
N  I  Y  S  R  A  T  R  U  G  O  Y  W  R  W
V  N  Y  Y  O  U  N  G  S  T  E  R  R  R  A
A  W  E  Y  G  N  I  N  R  A  E  Y  A  R  E
G  A  L  I  E  A  O  R  R  E  O  P  Y  F  E
R  Y  L  K  P  E  K  B  Q  N  L  A  A  A  U
M  A  I  E  O  P  O  P  D  X  H  E  R  Z  I
I  C  N  S  T  O  I  E  I  O  V  E  D  R  P
V  H  G  Z  K  S  R  Y  O  R  K  E  R  O  W
B  T  J  E  G  R  H  R  O  G  M  Q  P  H  Y
```

YACHT	YETI
YAHOO	YIELD
YARD	YIKES
YAWNING	YIPPIE
YEARBOOK	YODELER
YEARNING	YOGURT
YEAST	YOLK
YELLING	YONDER
YELLOW	YORKER
YEOMAN	YOUNGSTER
YESTERYEAR	YOUTH

Spring Break

```
N D O O F T S A F M R A J U G
N O U G B Y T R A P P B Y P N
U M F T S E W Y E K A D A F I
C A T P H S B T U G R N B S L
N S P R I N G B R E A K O T E
A X I S S E N D A M D N G U V
C N H G U A S S A N I O E D A
A A C O H I T C T N S Z T E R
P V A C A T I O N S E Y N N T
U O E J X T S G R R I A O T H
L K B N Y C X E T G S W M S B
C H E A P H O T E L L A I Z R
O T A I V W Y R S I A T R L A
N E G E L L O C S U N E C R D
S N L P A N O T Y A D G O N O
```

ACAPULCO	NASSAU
BEACH	PANAMA CITY
CANCUN	PARADISE ISLAND
CHEAP HOTEL	PARTY
COLLEGE	SIGHTSEEING
DAYTONA	SPRING BREAK
FAST FOOD	STUDENTS
GETAWAY	TEENAGERS
KEY WEST	TRAVELING
MADNESS	VACATION
MONTEGO BAY	WILD

'L' Words

```
Y R O B A L J K U E T R X R I
U W N G C Q E A S V S Q X P T
U X S U B O D V T A P Z E J L
G V Z R S A P G E E A L G G H
N W S Q E L I T T L E A Q N Y
I U D W G U O T R A X T T I L
K S N A A L A N D R U E Y V E
O A L Y U Y S E G V R R K I L
O I L E G T R B T E S W C L T
L E A R N E D G R A R G A I A
L I R R A G V I L R E T L K L
A R G D L I T E R A T U R E T
Y I E H A I A H S E T G T L V
T K F H T S F E R Z E R A Y I
W O P E T A V E L F L A T O W
```

LABOR	LENGTH
LACK	LETTERS
LAND	LEVEL
LANGUAGE	LIFE
LARGE	LIGHT
LATER	LIKELY
LATTER	LITERATURE
LEADER	LITTLE
LEARNED	LIVING
LEAST	LONGER
LEAVE	LOOKING

Californian Beaches

```
U T S A J G T S E P A G P J O
L Y U D S O H A S G P A W S E
A D R S P F E N T U R A W C B
I Y F Q A F R E G A N J L E O
R A S P C C M L D H J S L C S
E B I X I O O I H P M M E Y R
P T D P F V S J U A O A R T A
M N E I I E A O N N N C B I P
I E V O C S A M T S I R H C I
S C Y O P W R S I R M Q J E C
S S V N P W H D N C O I M C N
I E T P E O E I G J T P P I I
O R C A R H P R T U H A W N C
N C G E A Q O A O B L A B E R
J L A E S N A D N I W E B V N
```

BALBOA	OCEANSIDE
BELMONT SHORE	PACIFIC
CHRISTMAS COVE	PARADISE COVE
CRESCENT BAY	PICNIC
DOHENY	POCHE
GOFF COVE	SAN ELIJO
HERMOSA	SEAL
HUNTINGTON	SUNSET
IMPERIAL	SURFSIDE
MISSION	VENICE CITY
NEWPORT	WINDANSEA

Art Movements

```
Y V G M R M S I R E N N A M K
D F I I S S L W O U P M F S E
A C M N T I W O A Q L O U I Z
B R P I T V F T J O E D T H N
S P R M M I O X B R T E U P U
T L E A S T L A A A T R R R Z
R U S L I C K A U B E N I O P
A R S I V U A R H X R I S T U
C A I S U R R E A L I S M D R
T L O M A T T A U O S M A Q I
R I N F F S E J S O M D R Y S
A S I U A N T I R E A L I S M
P M S I N O I S S E R P X E I
O C M T C C O N C E P T U A L
V C F H C U B I S M L O B T E
```

ABSTRACT	**FUTURISM**
ANTI-REALISM	**IMPRESSIONISM**
BAROQUE	**LETTERISM**
BAUHAUS	**MANNERISM**
CONCEPTUAL	**MINIMALISM**
CONSTRUCTIVISM	**MODERNISM**
CUBISM	**OP-ART**
DADA	**ORPHISM**
EXPRESSIONISM	**PLURALISM**
FAUVISM	**PURISM**
FOLK ART	**SURREALISM**

Martial Arts

```
W I D T I L E J O S O Y Q J M
X U Z T Z I L R G N N L S U A
L S J T E H X H S U A D G J S
X T U I T B V U B K R B V O T
L K D R T J M O O A A Z A D E
S E O N S O I O D B K R V N R
O Q D S A J X U N A I M X A A
P D I Y H U D E E D S S E B G
N V K N Y T G E K D X L S I G
E S I A A S I G N I C N E F N
K T A O H U P N I N J U T S U
O A A K S A Q T H Y X V L J H
U B T R N J O U S T I N G S E
M U K N A K A B O J U T S U E
P P R V B K E U S G R O I J S
```

AIKIDO	KABADDI
BAK MEI	KARATE
BANDO	KENPO
BANSHAY	KOSHTI
BOJUTSU	MASTER
FENCING	MUKNA
GOU QUAN	NABAN
HUNG GAR	NINJUTSU
JOJUTSU	SHINKENDO
JOUSTING	SIKARAN
JUDO	SUMO

Dickens' Characters

```
I X K Q X I J A G G E R S B K
C M I T Y N I T F A G I N G F
G L R E S T E L L A R O B O N
T E G O O R C S A P E G S M A
E T S I W T R E V I L O E U N
L X S T E E R F O R T H K R C
O T Z A D A C L A R E E I D Y
B O B C R A T C H I T I S S S
T M A G W I T C H P T M L T P
U P V R D O R A S P E N L O W
M I C A W B E R F I L R I N W
J N W I C K F I E L D A B E L
T C P P E E H H A I R U I T L
U H M A H S I V A H S S I M L
U O E R R R E L S P O W R O Z
```

ADA CLARE	MURDSTONE
BILL SIKES	NANCY
BOB CRATCHIT	OLIVER TWIST
DORA SPENLOW	PHILIP PIRRIP
ESTELLA	SCROOGE
FAGIN	STEERFORTH
GARGERY	TINY TIM
JAGGERS	TOM PINCH
MAGWITCH	URIAH HEEP
MICAWBER	WICKFIELD
MISS HAVISHAM	WOPSLE

Smash Hit TV Shows

```
N I G H T C O U N T J R Q T R
T G R O W I N G P A I N S L E
I R E M F T X H O U S E U A D
A Y I E B H B A S P T C R E I
M T S I E E R I T J H I V D R
E T A M U C N R R E X V I O T
I B F R B S A R I V S M O R G
C Y G O D B S L N S O A R O I
A L P V P Y E T F R U I S L N
N G R E Y S A N A T O M Y A K
I U N M N H A S T A R T R E K
D U K E S O F H A Z Z A R D M
O D G N U W P A Q E J W Y L S
L H N T N A P P R E N T I C E
```

A-TEAM	KNIGHT RIDER
AMERICAN IDOL	MIAMI VICE
APPRENTICE	NCIS
CHEERS	NIGHT COUNT
DEAL OR NO DEAL	NYPD BLUE
DUKES OF HAZZARD	STAR TREK
FRASIER	SURVIVOR
GREY'S ANATOMY	TAXI
GROWING PAINS	THE COSBY SHOW
HOME IMPROVEMENT	UGLY BETTY
HOUSE	X-FILES

Going Green

```
G L T L T R T G S S A L G S V
A N N J F T A T P Z K O T O J
L L I R T R E P P O C U F P A
U E G K B E E T E R C N O C R
H A L A L P N S P P T I R E S
A V G L L A X P H N T N E A E
Q E E Y K P W L C A N S C L O
M S R B N S T A U A I F Y U X
K G D O O W S S A R B R C M S
Z Z M D S E L T T O B T L I D
O Y I I E N V I R O N M E N T
W F S D X E D C A B Y E S U L
R Y L R S D C V S L A T E M U
I J I Y R A Y R H E Z W X R P
E K Y M P E H A C O O I I T G
```

ALUMINUM	JARS
BOTTLES	LEAVES
BRASS	METALS
CANS	NEWSPAPER
CONCRETE	PLASTIC
COPPER	RECYCLE
ENVIRONMENT	STEEL
FRESH AIR	TIRES
GARBAGE	TRASH
GLASS	WALKING
GREEN	WOOD

Philip Roth

```
S Y I N O V E L S B K U A L A
K S I T C D L E Y B D O O G T
U R M O O L B E R I A L C D E
S Y A S N A M Y R E V E W R J
T R D W E I N O S N I T R A M
H P Y P E U P D E E D D W R A
E U I E Y N A M R E K C U Z R
F L N N O I T P E C E D O J G
A I G A T T N I A L P M O C A
C T A W T S A E R B E H T J R
T Z N A K C O L Y H S W Q I E
S E I R O T S T R O H S L T T
Q R M D I R A G N A G R U O A
N I A T S N A M U H H I E O A
C O L U M B U S Y O N T R O P
```

CLAIRE BLOOM

COLUMBUS

COMPLAINT

DAVID KEPESH

DECEPTION

DYING ANIMAL

EVERYMAN

GOODBYE

HUMAN STAIN

MARGARET

MARTINSON

NEWARK

NOVELS

OUR GANG

PEN AWARD

PORTNOYS

PULITZER

SHORT STORIES

SHYLOCK

THE BREAST

THE FACTS

ZUCKERMAN

Famous Davids

```
Y S V O R U O R T T R J P R S
C F Y L I V I N G S T O N E G
P A R C C D I Y S O E N J H D
N O S A J V C W E R M G E U P
X T Q S E I E U O F L T V R R
I M R N I A E I W O B A N P B
K Q W S L D R A H T L U O C I
A C R A D M Y Q Q K V L A R S
X O O I L U A E U G I N O L A
E R N G N L Y H Y E N K C O H
S G Z A A F I T K A T E M A M
S S X T D R T A D C P T A J O
E H W S C H W I M M E R E U A
D U C H O V N Y E S A B W A E
F F O H L E S S A H L J O Q T
```

ARQUETTE	FROST
BECKHAM	GEST
BOWIE	GINOLA
BRENT	HASSELHOFF
CANNADINE	HOCKNEY
CASSIDY	JASON
COULTHARD	LIVINGSTONE
DUCHOVNY	MAMET
DUVAL	NIVEN
EDDINGS	SCHWIMMER
ESSEX	WALLIAMS

Rome-ing Around

```
M S L L C U T K S V L O L T C
T C A T A C O M B S L A T I N
E O Y S P E T S H S I N A P S
A L O L E G N A L E H C I M V
C O N S T A N T I N E S A T O
D S T R E V I F O U N T A I N
O S L E P A H C E N I T S I S
M E M T S C I P M Y L O E F K
U U U S P A N T H E O N N R I
S M R S S R E T E P T S A P N
A N O V A N A Z Z A I P T L I
U Q F E C T H E P O P E E R N
R M D J U L I U S C A E S A R
E S U M I X A M S U C R I C E
A T R A J A N A C I T A V E B
```

BERNINI

CAPITOLINE HILL

CATACOMBS

CIRCUS MAXIMUS

COLOSSEUM

CONSTANTINE

DOMUS AUREA

FORUM

JULIUS CAESAR

LATIN

MICHELANGELO

OLYMPICS

PANTHEON

PIAZZA NAVONA

SENATE

SISTINE CHAPEL

SPANISH STEPS

ST PETERS

THE POPE

TRAJAN

TREVI FOUNTAIN

VATICAN

US Trees

```
B E F T W T K S I W L C D U A
I A A E Y E K C U B N E U E T
R T R R R R E D W O O D I N A
C U R I O P A O W O W G A R E
H L S F K E R O M A C Y S W E
U E U S C Y O W L I T T S R T
A L M A I L O N G A M J A A P
R O A L H J U O R Z S U S D A
A J P G O T U T H B M N S E V
Y W L U P C P T R E K I A C P
M T E O E N K O T E R P F U P
W S N D B L A C K C H E R R Y
T S I V J L A R C H I R A P T
A S P E N M U G T E E W S S S
U R S R A D N J H V S L A U H
```

ASPEN	LARCH
BEECH	MAGNOLIA
BIRCH	MAPLE
BLACKCHERRY	PINE
BUCKEYE	REDWOOD
CEDAR	SASSAFRAS
COTTON WOOD	SPRUCE
DOUGLAS FIR	SWEETGUM
HEMLOCK	SYCAMORE
HICKORY	TULELO
JUNIPER	WALNUT

A Tour Of France

```
E P F Q L F Z E U W D L E O E
I A E I F F E L T O W E R M C
K P M H F Q P O M P I D O U N
E L L E P A H C E T N I A S A
M A U S B M O C A T A C S E L
A Y I N I D O R E E S U M E B
D O S J D B S I R A P O D D N
E R R U E O C E R C A S N O I
R S E S G R O U T T S S I R V
T I I N U D A F L T E M S S F
O A T A O E I J D T E D K A L
N L I I R A J J T O U U C Y U
R A O L N U A O O U O R G R L
I P P S I X O L U N L G E A A
Q L O U V R E S E T N A N A B
```

ARC DE TRIOMPHE

BAGUETTE

BORDEAUX

CULTURE

DIJON

EIFFEL TOWER

GOOD FOOD

LES CATACOMBS

LOUVRE

MUSEE D'ORSAY

MUSEE RODIN

NANTES

NOTRE DAME

PALAIS ROYAL

PARIS

POITIERS

POMPIDOU

SACRE-COEUR

SAINTE-CHAPELLE

SNAILS

VIN BLANC

VIN ROUGE

Collective Nouns

```
I  C  A  H  I  Z  Y  R  S  P  W  H  P  S  T
S  L  T  S  E  P  F  M  Q  Y  A  Y  P  L  R
M  U  R  D  E  R  T  R  F  R  A  O  V  I  O
E  T  J  L  H  B  D  A  I  L  O  D  G  E  O
C  C  U  S  H  R  E  W  D  N  E  S  S  D  B
Q  H  H  D  E  O  O  S  F  O  T  E  A  I  R
Q  O  A  A  C  B  R  U  T  I  A  L  T  R  R
H  R  G  R  T  R  L  S  A  T  R  O  O  P  B
T  U  F  R  M  T  J  S  T  A  B  L  E  C  K
R  S  T  T  E  R  E  R  C  C  U  O  Q  O  A
A  G  Z  L  L  T  J  R  M  O  F  T  P  M  N
A  X  K  B  G  T  T  W  I  V  L  X  E  P  B
L  C  U  V  G  A  R  U  U  N  C  O  T  A  S
M  Q  C  Q  A  X  O  S  L  O  G  T  N  N  M
U  E  A  M  G  S  C  F  A  C  U  L  T  Y  L
```

BEVY	GAGGLE
CHARM	HERD
CHATTERING	LODGE
CHORUS	MURDER
CLUTCH	PRIDE
CLUTTER	SHREWDNESS
COLONY	SPOONFUL
COMPANY	STABLE
CONVOCATION	SWARM
FACULTY	TEAM
FLEET	TROOP

Breeds Of Dog

```
R M I L T E B O T E L G A E B
C O L L I E F P S A L E W T O
E J N O R W I C H P Q D S M X
B Y A N J R K O M O N D O R E
E K E L A D E R I A A L R O R
S S A L S A T I A N F C O D P
E U T E H A T T E E G H T A G
T H R S E K S C S N H I T C S
L D Z S P L I J E A A H W H D
A N A U H O S Z G D N U E S E
M R P R E F U A N T H A I H Z
K I K K R R B R I A O H L U N
L A U C D O M W K E U U E N D
C C S A I N T B E R N A R D R
T F U J T S M E P G D P Q A D
```

AFGHAN HOUND

AIREDALE

ALSATIAN

BEAGLE

BERNESE

BOXER

CAIRN

CHIHUAHUA

COLLIE

DACHSHUND

GREAT DANE

HUSKY

JACK RUSSELL

KOMONDOR

MALTESE

NORFOLK

NORWICH

PEKINGESE

POODLE

ROTTWEILER

SAINT BERNARD

SHEPHERD

Bones Of The Body

```
A A X Y C C O C R V U A W F A
I L I U M O L L J K L O Q R T
U B N E S E M A L L E U S S G
W I C R C G T V V S U I D A R
K S U L U C R A N I U M I M T
H T S W U M Q I T J C X O A M
T A P P A T E L L A S L Z N U
G L A T L A S F T L R E E D N
O P R K U L U O U U E S P I R
A O D A B U P S F P T U A B E
P L W W I S A F H A A R R L T
T B S C F B H W P C N E T E S
I P Y I N I I E D S U M R A A
P E A S P R S T A N L U R U I
M V D W A R Q O L S T H U S H
```

CLAVICLE	METATARSALS
COCCYX	PATELLA
CRANIUM	RADIUS
FEMUR	RIBS
FIBULA	SCAPULA
HUMERUS	STAPES
ILIUM	STERNUM
INCUS	TALUS
LUNATE	TIBIA
MALLEUS	TRAPEZOID
MANDIBLE	ULNA

Italian Culture

```
H I L F R A P H A E L I T K T
O L S E R G I O L E O N E F N
I L A D O L C E V I T A E B K
C E S E I S A E M D R C L O R
C V I R C V N R I A A E A O H
A A L I N L I E C A T N S L R
C I A C I P R N H L A E T L O
C H N O V E T A E A F S S E S
O C O F A T S I L C L O U T S
B A M E D R E S A S O T P A I
T M G L O A L S N A R M P N N
V R E L A R A A G L E G E O I
P W T I E C P N E A N I R D R
P S D N Q H U C L X C G V O Y
N A C I T A V E O V E N I C E
```

BOCCACCIO

DA VINCI

DANTE

DIVINE COMEDY

DONATELLO

FEDERICO FELLINI

FLORENCE

LA DOLCE VITA

LA SCALA

LAST SUPPER

MACHIAVELLI

MICHELANGELO

MONA LISA

PALESTRINA

PETRARCH

RAPHAEL

RENAISSANCE

ROSSINI

SENECA

SERGIO LEONE

VATICAN

VENICE

Trip To India

```
N S A Z X B T S L L P R T S Q
M S T N A H P E L E S U L E P
Y U S R T A Q Y A B M O B E T
G N G B O L L Y W O O D T P O
R A E H B F R X U J A I P U R
G A T W A M A M B E R F O R T
M P R A J L O D E L H I G T A
U M U H J A G T N Q V U T E E
M U E S U M L A N O I T A N H
B N R K H S A M R U K B M V A
A N L C T K K H A D Y L A Y D
I A T I A S A Y A H E A O G U
S R Y R R U C R Z L A N M G U
R M W L Q A I R G A E L S U Q
L Y E P E L L A I D N I C U H
```

AGRA	INDIA
ALLEPEY	JAIPUR
AMBER FORT	JAL MAHAL
BOLLYWOOD	MUGHAL GARDENS
BOMBAY	MUMBAI
CURRY	MUNNAR
DELHI	NATIONAL MUSEUM
ELEPHANTS	PUSHKAR
GOLKONDA FORT	RICKSHAW
HEAT	RUPEES
HUMAYUN TOMB	TAJ MAHAL

Set In Stone

```
T S E C B G I L Q U L H O E O
O L T N A I D I S B O X P S O
U A I S O A P S T O N E T N L
P T S G G T P D I O R I T E C
A E E R N N S E T I M O L O D
A S D A E I N D D R G K A C T
K H N N I L T O N D S L P P A
P N A I S F T E B A S A L T O
B A N T S I E N O T S D U M O
U T I E T C H H N L E E P U A
I Y U E N O T S Y A L C T S O
U U Q U A R T Z E T B I T P E
Y E O T D J I U A Q R M P Y J
R L C H A L K A H W A U T G A
L L S J E S G A C H M P G G I
```

ANDESITE

BASALT

CHALK

CLAYSTONE

COAL

COQUINA

DIORITE

DOLOMITE

FLINT

GNEISS

GRANITE

GYPSUM

LIGNITE

MARBLE

MUDSTONE

OBSIDIAN

PERIDOTITE

PUMICE

QUARTZ

SANDSTONE

SLATE

SOAPSTONE

At The Circus

```
T S D P R R E M R O F R E P E
N W O L C J D W N O I S N E T
E Z E P A R T S U C R I C U S
M Y L V A E T C O M E D I A N
N L E M O G U S S T E B R T V
I Z A Y U L I O N T A M E R T
A V R E T H G U A L T S W E P
T I G E R S B T L L I R A L R
R E W O R H T E F I N K L G A
E S J M J F R S N L G U K G P
T A Y C T I G H T R O P E U V
N A M T N U T S A L S A R J P
E S L A M I N A R T I S T D X
W A C U T A C R O B A T O R Q
R A G O P Q S I A G Y O S N R
```

ACROBAT	KNIFE THROWER
ANIMALS	LAUGHTER
ARTIST	LION TAMER
BALLERINA	PERFORMER
CIRCUS	STILTS
CLOWN	STUNTMAN
COMEDIAN	TENSION
DRAMA	TIGERS
ENTERTAINMENT	TIGHTROPE
FIRE EATING	TRAPEZE
JUGGLER	WALKER

Musical Instruments

```
T H E A C C O R D I O N Z O L
Y O R Q L Z E J A A G P R O U
F T U B A D B C X U I P P D B
L L H A R M O N I C A D A I D
P D U O I R I T C N R U G R J
E I C T N K A O P O M T Y E T
D E S E E R L I H D R U P G A
R B T S T O P C E O B O O D U
U O S A G E I L M T B X H I R
M N O O S S A B E L B U O D Y
S A X O P H O N E B C X O L D
A I F R E N C H H O R N A S B
A P A T E P M U R T H V N M I
W H I S T L E N Q S N P R I W
D B A R I J L T P C F E T I U
```

ACCORDION	HARPSICHORD
BASSOON	OBOE
CLARINET	PAN PIPES
CORNET	PIANO
DIDGERIDOO	PICCOLO
DOUBLE BASS	RECORDER
DRUMS	SAXOPHONE
FLUTE	TROMBONE
FRENCH HORN	TRUMPET
GUITAR	TUBA
HARMONICA	WHISTLE

Books Of The Bible

```
P T M G E E D E R D T C S J R
I S N A I S S O L O C S T L D
R U N L T A A U O H M A R K H
R C V A A T K M E K G A T L U
L I E T I E H B E M O A N E B
P T P I N S R E B M U N C S Z
Z I O A O E E B W A S P A T S
A V O N W U L H T U R I J H S
P E P S M L A S P M A W O E X
I L X T I P R O V E R B S R Z
B K T O I S E M A J P O H R B
H G Z S D T E T D V P I U L S
Q R Y V C U U N H O J A A V T
K S B B O T S S E G D U J K L
W K F O R X I F E G Z W A V N
```

ACTS	JUDGES
COLOSSIANS	LEVITICUS
EPHESIANS	LUKE
ESTHER	MARK
EXODUS	MATTHEW
GALATIANS	NUMBERS
GENESIS	PROVERBS
HEBREWS	PSALMS
JAMES	ROMANS
JOHN	RUTH
JOSHUA	TITUS

Astrology

```
K Z B M S T K A L R D R G E X
H O D R T T R I N K O T L A P
O D S E V S Y S M T Z E H I A
B I R T H C H A R T M T S S E
L A E R O O G G M E R C U R Y
V C T O U O I I N A E G T T R
S A I G S O Q T E S E P K A E
T G P R E A C T M Y E P S U C
S E U A S S C A P R I C O R N
S M J D R S R R R E B K A U A
D I H E S S U I S D T E S S C
R N O O M L L U F V I R G O T
S I P W E R K S P S F N L P R
L I B R A S U I R A U Q A R T
U S R L B R T K X T K R A L C
```

AQUARIUS	JUPITER
BIRTH CHART	LIBRA
CANCER	MARS
CAPRICORN	MERCURY
CARDINAL	PISCES
CUSP	RETROGRADE
EARTH	RULER
ELEMENT	SAGITTARIUS
FULL MOON	TAURUS
GEMINI	VIRGO
HOUSES	ZODIAC

State Birds

```
C N E N E P H E A S A N T Y P
M Q A R S U B R L L U G A E S
E A V O U R L E I T I Q L L V
A F E A O P U H A A B I H L N
D L E D R L E S U I C E A O O
O Y D R G E B A Q A R R L W O
W C A U D F I R N M K O A H L
L A K N E I R H I B W B N A N
A T C N F N D T U C J I I M O
R C I E F C T N L D O N D M M
K H H R U H T W T F U A R E M
T E C O R I J O E S A E A R O
H R Y U N N E R W S U T C A C
W S S G D R I B G N I K C O M
F H C N I F D L O G N W S P L
```

BLUEBIRD	MOCKINGBIRD
BROWN THRASHER	NENE
CACTUS WREN	PELICAN
CARDINAL	PHEASANT
CHICKADEE	PURPLE FINCH
COMMON LOON	QUAIL
FLYCATCHER	ROADRUNNER
GOLDFINCH	ROBIN
HERMIT THRUSH	RUFFED GROUSE
LARK BUNTING	SEAGULL
MEADOWLARK	YELLOWHAMMER

William Shakespeare

```
O P E A C L E O P A T R A V G
V A O T H G I N H T F L E W T
Q T E N N O S P E C I N E V E
R A S E A C S U I L U J A Y L
A T H E T E M P E S T G H P M
T E I L U J D N A O E M O R A
P R C L Y T I N I R T Y L O H
L S I R U A D R D I E W L S B
A N N E H A T H A W A Y E P L
Y S U K D A N O R E V A H E O
H D R O F T A R T S L Q T R N
I Y N O H T N A R L W G O O D
O I L O F T S R I F P O N D O
S E L C I R E P O B K O A I N
A U J T F F A T S L A F T U K
```

ANNE HATHAWAY

ANTHONY

CLEOPATRA

FALSTAFF

FIRST FOLIO

HAMLET

HOLY TRINITY

JULIUS CAESAR

KING LEAR

LONDON

OTHELLO

PERICLES

PLAY

PROSPERO

ROMEO AND JULIET

SONNET

STRATFORD

THE TEMPEST

TWELFTH NIGHT

VENICE

VENUS AND ADONIS

VERONA

All 'White' On The Night

```
V L L L Z W B U P A F Y E I S
X T K S A R T B B T R I Z S M
T N A E V R O R O Y T R R U L
Z F T B K D J S L A S X D M G
S I L A S N I P A T R Z L E A
L S U A I O U A E X W D N I N
O O S O A L R C B H A R B O R
E B L R C B R O K A S A B R A
W A H O E R R A T L H E R I S
E I A A U D E I L L E B I O A
R T I Y E G W U S L D E C A F
S D R R T H R O A T O E K W I
P P E A R L Y I P A O C Y I S
S D D R T L P Y P J C N U E H
A L Y R S H R H Y I O U E G A
```

BAIT	FACED
BEARD	FISH
BELLIED	HAIRED
BLOND	HALL
BOARD	KNUCKLE
BORDERED	PEARLY
BRICK	POWDER
CAPS	STONE
COAT	TAIL
COLLAR	THROAT
EYED	WASHED

Behind The Lens

```
P C S Q E C T I I M O D E L U
F J A U C D T H G I L K C A B
L R L H S U C O F T F O S T E
A R T I H U R T J V M E A I R
S X U K T R O A A P G P S G U
H H T X D U P A O S D A R I S
C T U W S L P S X N O C I D O
U A D T E V I T C E P S R E P
E U M N T T N R W D I D S R X
T F S E I E G B E I R N E U E
T L P O R T R A I T T A M T R
H N N X X A M I E I L L L R A
A Q G Z S A R D L N D I I E L
Q F L I Z D N R P G U P F P F
G F E S D Q T C A R T S B A U
```

ABSTRACT

APERTURE

BACK LIGHT

CAMERA

COMPOSITION

CROPPING

DIGITAL

EDITING

EXPOSURE

FILM

FILTER

FLARE

FLASH

ICON

LANDSCAPE

LENS

MODEL

PERSPECTIVE

PORTRAIT

SHUTTER

SOFT FOCUS

TRIPOD

Baseball Stars

```
P U C K E T T O N Y P E R E Z
A L A P I E T R A Y N O R N O
C R N O L A N R Y A N C I N X
W A A L L G M L E R A N S Y T
I E T T E R B E G R O E G W R
N R F N B E K F L U B K G G C
F T R U B B C T S M Z P O Y O
I Y E O U D O Y S E C I B N C
E E T Y H N N G A I L R E O H
L L T N F A N R U D K L D T R
D R U I T S E O T D V A A N A
W E S B N Q P V M E E C W E N
I K Y O Z Z I E S M I T H R E
P C B R E T R A C Y R A G U W
C E P A U L M O L I T O R A Z
```

CAL RIPKEN	PAUL MOLITOR
CARLTON FISK	PENNOCK
COCHRANE	PIE TRAYNOR
ECKERLEY	PUCKETT
EDDIE MURRAY	ROBIN YOUNT
GARY CARTER	SANDBERG
GEORGE BRETT	SUTTER
HUBBELL	TONY GWYNN
LEFTY GROVE	TONY PEREZ
NOLAN RYAN	WADE BOGGS
OZZIE SMITH	WINFIELD

In The Boardroom

```
Y R G N I T E K R A M T A R F
O P P O R T U N I T Y P C O R
T T S I N T E R V I E W F W R
G N I T A I T O G E N T I P Z
V L O A D D E D V A L U E V M
N O I T A C I L P P A R D Q A
O E G N I K R O W T E N U D T
I S B E N E F I T S A J T J R
T P A S N R E T T A P T I R I
A P S E L A S T E G R A T J X
P S M R O T S N I A R B T P D
U A P P R O A C T I V E A Z B
C M K K A A K R W A W A G E S
C E T R E N D S L L I K S S O
O R U M E E T I N G O A L S A
```

ADDED VALUE

APPLICATION

ATTITUDE

BENEFITS

BRAINSTORM

GOALS

INTERVIEW

MARKETING

MATRIX

MEETING

NEGOTIATING

NETWORKING

OCCUPATION

OPPORTUNITY

PATTERNS

PRESENTATION

PRO-ACTIVE

SALES

SKILLS

TARGETS

TRENDS

WAGES

More Cheese, Please

```
E D C F D V L E V O R P P R S
M E G C O L D P A C K L X N A
E T I L L A M O O K J Y T B R
L T R E U L B U L B A M A S T
E T Z O W E G P S C M O Z A C
T A O G S A X E T A A U Z Q H
T N O M R E V P C R Y T I K E
B E R G E R E P B H T H P Y D
J M O N T E R E Y J A C K U D
L L I H T A E R G R G R S U A
D C C O L B Y J W V B O S A R
R A M E R I C A N S L W D A R
E L O I R P A C E B U L U T S
M A C R E A M K L R E E X B M
R K D S T T G P R D I Y Y O R
```

AMABLU BLUE

AMERICAN

BERGERE

BRICK

CAPRIOLE

CHEDDAR

COLBY

COLD PACK

COUGAR GOLD

CREAM

CROWLEY

GREAT HILL

MAYTAG BLUE

MONTEREY JACK

PEPPERJACK

PIZZA

PLYMOUTH

PROVEL

TELEME

TEXAS GOAT

TILLAMOOK

VERMONT

World Rivers

```
N V R P C D S C L V L H L B W
E Z Y E L L O W O F Q R I R D
E A A N T F E P T K I S V S L
W M N O Z A M A C L Z U V X Y
L U G K L P U I A C E R A K A
A R T U P A M H A R B U Y T J
S X Z Y V I R A L I M P O P O
V R E G I N G U A O A P H O C
S S V K T D A Z U G Z Z O T L
C E U X M U N L A R L R A X P
U T D O O S G T E A I O I S H
M Y E A T M E K O N G K V A E
M J E Z Y S S L O D A N U B E
R E Q O G N O C I E A A L R P
O J A V U M O S I N U X Z L T
```

AMAZON	NILE
AMUR	ORINOCO
BRAHMAPUTRA	PURUS
CONGO	RIO GRANDE
DANUBE	SALWEEN
GANGES	URAL
INDUS	VOLGA
LENA	YANGTZE
LIMPOPO	YELLOW
MEKONG	YUKON
NIGER	ZAMBEZI

American Volcanoes

```
B C M O U N T A M A K M N O L
S A I S Y O M A U N A L O A A
T B U O D E R I B L R T S I T
B I T R L R A O N B N P E P I
E O S K A E P R E I C A L G P
A L M A B T K N V B B V C O A
R S A N T A C L A R A A A A C
B T D O N R O B E O L N N T A
U U A B U C R I H K D T N R P
T T T T O Y T G N E K B I O U
T U N N M O R C A N N U P C L
E I U U P B O A I T O T U K I
H L O O B M F V D O L T Q S N
D A M M U A I E N P L E I O D
R H U A L A L A I L H T S O C
```

AMBOY CRATER	INDIAN HEAVEN
BALD KNOLL	MAUNA LOA
BEAR BUTTE	MOUNT ADAMS
BIG CAVE	MOUNT AMAK
BROKEN TOP	MOUNT BALDY
CAPITAL	MOUNT BONA
CAPULIN	PAVANT BUTTE
FORT ROCK	PINNACLES
GLACIER PEAK	REDOUBT
GOAT ROCKS	SANTA CLARA
HUALALAI	TUTUILA

Sky High

```
R A M O O N S H I N E M O P P
E F S X E L R E N I L R I A I
A E N Y R A C L O U D T R R P
E P O G A M O I S T U R E A U
T R I E L W S C A A W A M D T
A E T N F S W O T A E D O I Z
R S A M R E D P L A N E T S S
A S T T A Z T T R P X W E E U
L U I F L E D E L Y D I N V I
I R P G O I R R J E W N E E A
H E I P S E R D O O V D S R J
X P C N L W S N Y E B A S E J
E R E H P S O M T A J M R S M
P Y R E D I L G Z J D O U T U
U K P A R A C H U T E K K J V
```

AIRLINER	OXYGEN
ATMOSPHERE	PARACHUTE
CLOUD	PARADISE
DAYDREAM	PRECIPITATION
EVEREST	PRESSURE
EXHILARATE	RED PLANET
GLIDER	REMOTENESS
HELICOPTER	SOLAR FLARE
JUMBO JET	TRADE WIND
MOISTURE	TRAVEL
MOONSHINE	WALT DISNEY

Country And Western

```
G P L S S A R G E U L B R N S
F I D D L E L L I V H S A N N
Y L I M A F R E T R A C T A C
S H A N I A T W A I N R S G R
E G A R T H B R O O K S E E I
V J W D N R E T S E W D N A N
E O V F O L K M U S I C O S G
E H R O C K A B I L L Y L E O
R N N O T R A P Y L L O D U F
M N O S L E N Y L L I W H L F
I Y E N I L C Y S T A P Z B I
J C E T T E N Y W Y M M A T R
H A E Y E L S E R P S I V L E
Y S N I K T A T E H C R N K A
W H S A V I R G I N I A L K H
```

BLUEGRASS	JOHNNY CASH
BLUES	LONESTAR
CARTER FAMILY	NASHVILLE
CHET ATKINS	PATSY CLINE
DOLLY PARTON	RING OF FIRE
ELVIS PRESLEY	ROCKABILLY
FIDDLE	SHANIA TWAIN
FOLK MUSIC	TAMMY WYNETTE
GARTH BROOKS	VIRGINIA
HANK WILLIAMS	WESTERN
JIM REEVES	WILLY NELSON

Egyptian Gods

```
T M P T S L T G A F P V J S A
U K S I S I P D S F T S M J P
O G D O A D R E M I A J U W C
N S C A L M R I H V N M G Z G
P U T U N F E T S S N A U O S
R R X L U P W N E O E Q Y J I
U O Q I M U J E H M P R D G W
H H S T A Y D M S O H J O O T
N T E H K N A A K I T K K P P
A A O F E N W T V I H E E N J
M H O H U O P N E R Y T P S L
A X J B T P L O G P S S O G B
A Q I W A J I H E E N P H S T
T S A B C G I C T H T E P P F
J R H T T R E T U K A B R Q O
```

AMENHOTEP	MAAT
AMUN	NEPHTHYS
ANHUR	OGDOAD
ANKHET	OSIRIS
ANUBIS	RENPET
BAST	RESHEP
CHONTAMENTI	SEKHMET
HATHOR	SOTHIS
HORUS	TEFNUT
ISIS	THOTH
KHEPRI	WADJWER

Check Mate!

```
T E A C E A A T P R I Q I T N
T R E A C O U Q D X D G P L T
H H E B O T T E H C N A I F H
Y S G U U Z A C A S T L I N G
J P A W N B Z Q G N O D E D I
S A L U T I D P E N E C X A N
L E Z S E S N M C N I T C I K
A N X T R H P O E F E K H L C
N D W T P O T X I N T E A A E
O G N L L P I R P T X F N E H
G A U E A A C R R T O M G I C
A M V R Y A I A O A N M E T K
I E B I S S E N J O S A O R O
D R N E E U Q K A M K W A R D
J I F I L E T A M E L A T S P
```

BISHOP	FILE
CASTLING	KING
CHECK	KNIGHT
COUNTERPLAY	MAJOR PIECE
DEVELOPMENT	PAWN
DIAGONAL	PROMOTION
DRAW	QUEEN
EN PRISE	RANK
ENDGAME	ROOK
EXCHANGE	SACRIFICE
FIANCHETTO	STALEMATE

American Birds

```
L D L W D L P S T E E S R B C
I T O Z A M W N A J O T U R F
M S L R E S U O R G Y T O O S
P I F R H S N O F D I B F W U
K B L T D O A L U L F E G N R
I I P D E R W C R U E A R B F
N G W J R T S I U W C N E O B
G R A Y P A R T R I D G E O I
E A D T O B E C I L L O N B R
I Y O A N L P R B L L O H Y D
D H V R J A O A A E A S E Y B
E A E N R Y O T J T W E R I S
R W K Z R H H K C U D D O O W
L K I I S S W T S Q A A N P O
P Y E R P S O S Q G G H L R T
```

ARCTIC LOON
BEAN GOOSE
BROWN BOOBY
DOVEKIE
ELF OWL
GADWALL
GRAY HAWK
GRAY PARTRIDGE
GREEN HERON
IBIS
JABIRU

KING EIDER
LIMPKIN
MERLIN
OSPREY
REDHEAD
SHY ALBATROSS
SOOTY GROUSE
SURFBIRD
WHOOPER SWAN
WILLET
WOOD DUCK

Cartoon Characters

```
T A T O M A N D J E R R Y P D
N L E O I G B P I X D U O L H
A S V D C K F N M C O H G Z A
M R Q Y K Y L O I A N P I S J
R A Q B E I I S N P A Q B B P
E E O O Y B N P Y T L W E D K
P B B O M A T M C A D A A E C
U E R C O T S I R I D C R P U
S R S S U M T S I N U K L U D
T A H I S A O R C M C Y G T Y
U C X M E N N E K A K R Q Y F
N L I T T L E M E R M A I D F
A S M U R F S O T V P C A A A
E Y E P O P S H R E K E R W D
P N A I R L S H U L K S S G J
```

BATMAN	MICKEY MOUSE
CAPTAIN MARVEL	PEANUTS
CARE BEARS	POPEYE
DAFFY DUCK	SCOOBY DOO
DEPUTY DAWG	SHREK
DONALD DUCK	SMURFS
FLINTSTONES	SUPERMAN
HOMER SIMPSON	TOM AND JERRY
HULK	WACKY RACES
JIMINY CRICKET	X MEN
LITTLE MERMAID	YOGI BEAR

Life Down Under

```
R S E H C A E B R I S B A N E
S E N R U O B L E M P P T O P
C R U S S E L L C R O W E S E
N W W G J X T R P D M S F B R
J K C R O C O D I L E A O I T
X O E T A N V S U R F I N G H
P A H S G N I R P S E C I L A
S T D N R I O M C O O G E E Y
S Y G L H E U Q E B R A B M E
K I N I C O L E K I D M A N R
R E T S A I W L C U L U R U S
A R Y A B Y N A T O B Y T N R
H A F T E K C I R C B A K U O
S G J E D I A L E D A G R R C
F E C U Y A I L A R T S U A K
```

ADELAIDE	JOHN HOWARD
ALICE SPRINGS	KYLIE MINOGUE
AUSTRALIA	MANLY
AYERS ROCK	MEL GIBSON
BARBEQUE	MELBOURNE
BEACHES	NICOLE KIDMAN
BOTANY BAY	PERTH
BRISBANE	RUSSELL CROWE
COOGEE	SHARKS
CRICKET	SURFING
CROCODILE	ULURU

Islands

```
P Q R A E N I U G W E N I M B
N N E G R E B S T I P S I A A
E D L Q U W H A T P W P F D R
V P N H A F F A B G P F F A T
S S F A Q O L O I S I S P G A
T H A L L U R I I N Z M X A M
T A I W A N N U I U A I F S U
C W N S E D E S T A B N R C S
Y E I O P L L E J I V D J A E
P D D N I A T I R B T A E R G
R V R P N N N E U G M N J I O
U P A D V D L I S E W A L U S
S G S E M A W I O A R O M I T
L U Z O N X A I Y L I C I S I
D T R D N I L A H K A S C B E
```

BAFFIN ISLAND

BORNEO

CYPRUS

GREAT BRITAIN

GREENLAND

HAINAN

HISPANIOLA

IRELAND

JAVA

LUZON

MADAGASCAR

MINDANAO

NEW GUINEA

NEWFOUNDLAND

SAKHALIN

SARDINIA

SICILY

SPITSBERGEN

SULAWESI

SUMATRA

TAIWAN

TIMOR

The Last Word

```
R U W N X A S R R E T S A L P
A S S S H C T I D T S A L S A
P T U P T N I O P T S A L T R
I S M E T U N I M T S A L E P
S A G S R E D R O T S A L I A
S L N O I T N E M T S A L S H
F B I I L S F O N T S A C S S
C A T J A V M A H T S H A A U
W O S A E E M U I T O C T N P
P U A L N E R N E L Q A B D T
V T L T D R A R A A T A A B S
U L R L A S T S U P P E R L A
W A E H S W T D R O W T S A L
S S V W C I T S A L P L E S K
O T E P C H I R O P L A S T U
```

AT LAST	LAST ORDERS
BLASTS	LAST POINT
CHIROPLAST	LAST PUSH
ELASTIN	LAST SUPPER
EVERLASTING	LAST WORD
LAST DITCH	OUTLAST
LAST HURRAH	PILASTER
LAST MENTION	PLASTER
LAST MINUTE	PLASTIC
LAST MOMENT	SANDBLAST
LAST NAMED	SCHOLASTIC

Solutions

No 1

No 2

No 3

No 4

Solutions

No 5

No 6

No 7

No 8

Solutions

No 9

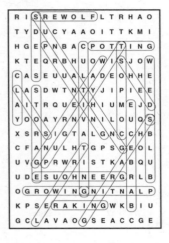

No 10

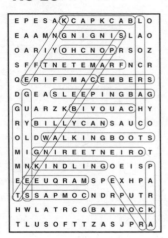

No 11

No 12

Solutions

No 13

No 14

No 15

No 16

Solutions

No 17

No 18

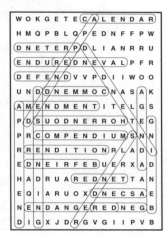

No 19

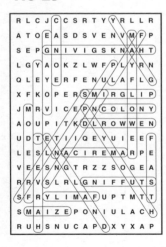

No 20

Solutions

No 21

No 22

No 23

No 24

Solutions

No 25

No 26

No 27

No 28

Solutions

No 29

No 30

No 31

No 32

Solutions

No 33

No 34

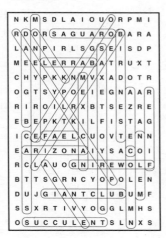

No 35

No 36

Solutions

No 37

No 38

No 39

No 40

Solutions

No 41

No 42

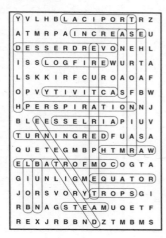

No 43

No 44

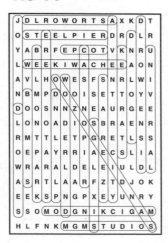

313

Solutions

No 45

No 46

No 47

No 48

Solutions

No 49

No 50

No 51

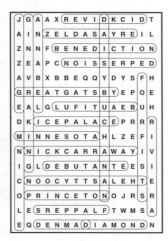

No 52

Solutions

No 53

No 54

No 55

No 56

Solutions

No 57

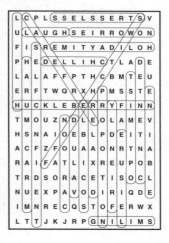

No 58

No 59

No 60

Solutions

No 61

No 62

No 63

No 64

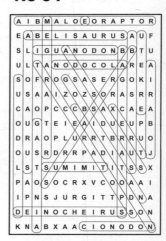

Solutions

No 65

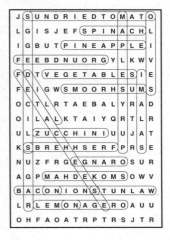

No 66

No 67

No 68

Solutions

No 69

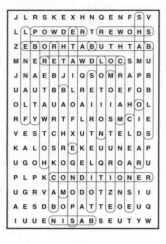

No 70

No 71

No 72

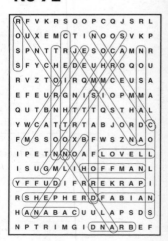

Solutions

No 73

No 74

No 75

No 76

Solutions

No 77

No 78

No 79

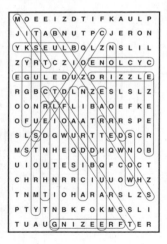

No 80

Solutions

No 81

No 82

No 83

No 84

Solutions

No 85

No 86

No 87

No 88

Solutions

No 89

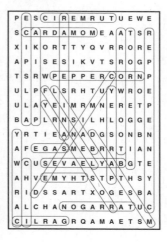

No 90

No 91

No 92

Solutions

No 93

No 94

No 95

No 96

Solutions

No 97

No 98

No 99

No 100

Solutions

No 101

No 102

No 103

No 104

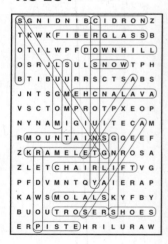

Solutions

No 105

No 106

No 107

No 108

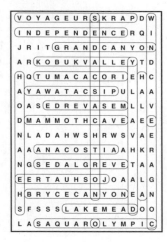

Solutions

No 109

No 110

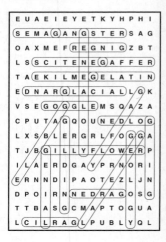

No 111

No 112

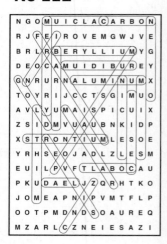

Solutions

No 113

No 114

No 115

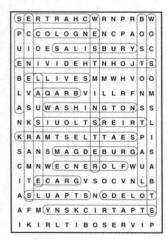

No 116

Solutions

No 117

No 118

No 119

No 120

Solutions

No 121

No 122

No 123

No 124

Solutions

No 125

No 126

No 127

No 128

Solutions

No 129

No 130

No 131

No 132

Solutions

No 133

No 134

No 135

No 136

Solutions

No 137

No 138

No 139

No 140

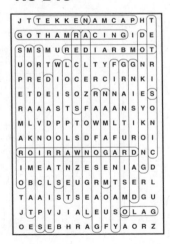

337

Solutions

No 141

No 142

No 143

No 144

Solutions

No 145

No 146

No 147

No 148

Solutions

No 149

No 150

No 151

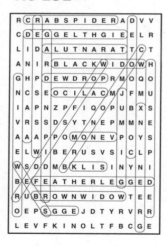

No 152

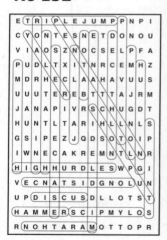

Solutions

No 153

No 154

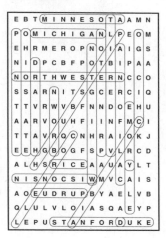

No 155

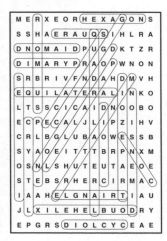

No 156

Solutions

No 157

No 158

No 159

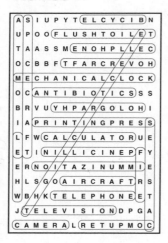

No 160

Solutions

No 161

No 162

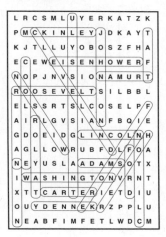

No 163

No 164

Solutions

No 165

No 166

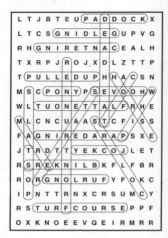

No 167

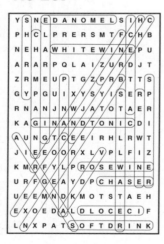

No 168

344

Solutions

No 169

No 170

No 171

No 172

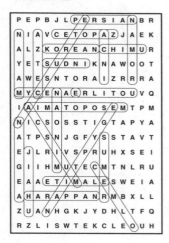

Solutions

No 173

No 174

No 175

No 176

Solutions

No 177

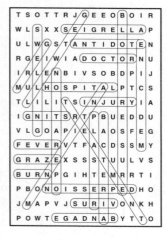

No 178

No 179

No 180

Solutions

No 181

No 182

No 183

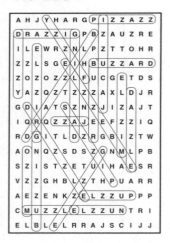

No 184

Solutions

No 185

No 186

No 187

No 188

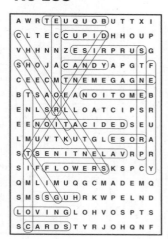

Solutions

No 189

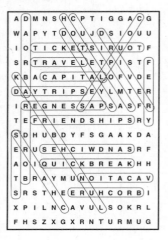

No 190

No 191

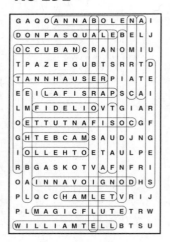

No 192

Solutions

No 193

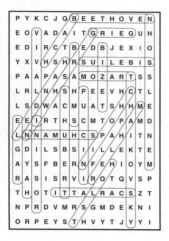

No 194

No 195

No 196

Solutions

No 197

No 198

No 199

No 200

Solutions

No 201

No 202

No 203

No 204

Solutions

No 205

No 206

No 207

No 208

Solutions

No 209

No 210

No 211

No 212

Solutions

No 213

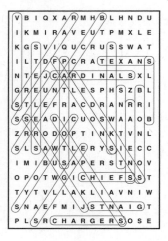

No 214

No 215

No 216

356

Solutions

No 217

No 218

No 219

No 220

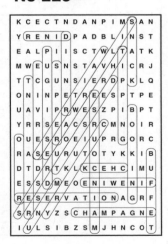

Solutions

No 221

No 222

No 223

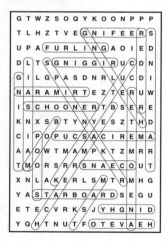

No 224

Solutions

No 225

No 226

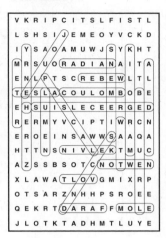

No 227

No 228

Solutions

No 229

No 230

No 231

No 232

Solutions

No 233

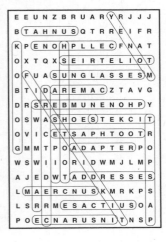

No 234

No 235

No 236

Solutions

No 237

No 238

No 239

No 240

Solutions

No 241

No 242

No 243

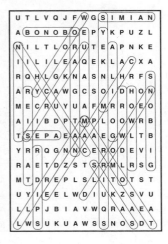

No 244

Solutions

No 245

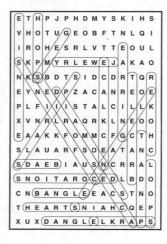

No 246

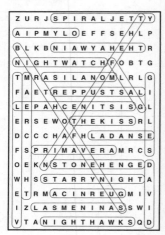

No 247

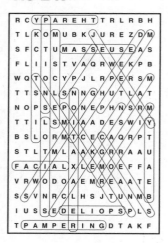

No 248

Solutions

No 249

No 250

No 251

No 252

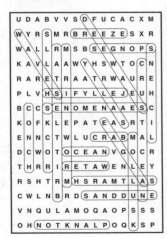

Solutions

No 253

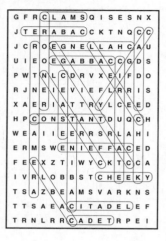

No 254

No 255

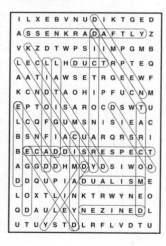

No 256

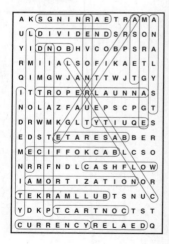

Solutions

No 257

No 258

No 259

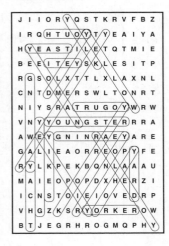

No 260

Solutions

No 261

No 262

No 263

No 264

Solutions

No 265

No 266

No 267

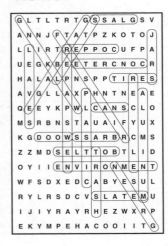

No 268

Solutions

No 269

No 270

No 271

No 272

Solutions

No 273

No 274

Solutions

No 275

No 276

Solutions

No 277

No 278

Solutions

No 279

No 280

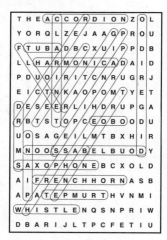

Solutions

No 281

No 282

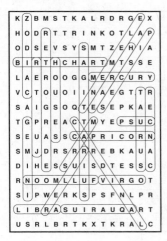

Solutions

No 283

No 284

Solutions

No 285

No 286

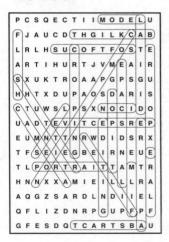

Solutions

No 287

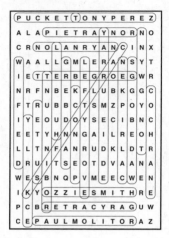

No 288

Solutions

No 289

No 290

Solutions

No 291

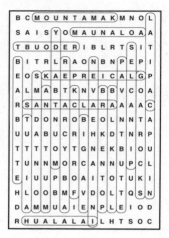

No 292

Solutions

No 293

No 294

Solutions

No 295

No 296

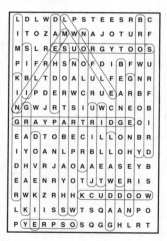

Solutions

No 297

No 298

Solutions

No 299

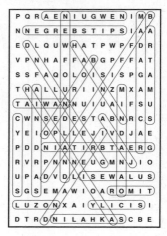

No 300

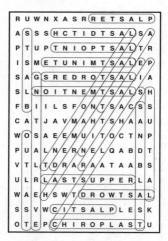